Bonjour Girl

DE LA MÊME AUTEURE

J'adore New York, roman, Montréal, Québec Amérique, 2010.

J'adore Paris, roman, Montréal, Québec Amérique, 2013.

Carnets d'une romancière à Paris, guide pratique, Montréal, Éditions La Presse, 2013.

J'adore Rome, roman, Montréal, Québec Amérique, 2016.

ISABELLE LAFLÈCHE

Bonjour Girl

Tome 1

Mode à Manhattan

Traduit de l'anglais par Michel Saint-Germain

Hurtubise

Catalogage avant publication de Bibliothèque et Archives nationales du Québec et Bibliothèque et Archives Canada

Laflèche, Isabelle, 1970-

[Bonjour girl. Français]

Bonjour girl : mode à Manhattan / Isabelle Laflèche.

Traduction de : Bonjour girl.
Public cible : Pour les jeunes de 14 ans et plus.

ISBN 978-2-89781-184-6

I. Titre. II. Titre : Bonjour girl. Français. III. Titre : Mode à Manhattan.

PS8623.A358B6514 2018   jC813'.6   C2018-940779-4
PS9623.A358B6514 2018

Les Éditions Hurtubise bénéficient du soutien financier du gouvernement du Québec par l'entremise du programme de crédit d'impôt pour l'édition de livres et de la Société de développement des entreprises culturelles du Québec (SODEC). L'éditeur remercie également le Conseil des arts du Canada de l'aide accordée à son programme de publication.
Nous reconnaissons l'aide financière du gouvernement du Canada par l'entremise du Programme national de traduction pour l'édition du livre, une initiative de *la Feuille de route pour les langues officielles du Canada 2013-2018 : éducation, immigration, communautés*, pour nos activités de traduction.

Financé par le gouvernement du Canada | **Canadä**

Conception graphique : Laura Boyle
Photographie de la couverture : ©iStock.com/alvaher
Maquette intérieure et mise en pages : Martel en-tête
Traduction : Michel Saint-Germain

Titre original : *Bonjour Girl*.
Copyright © 2018, Durdurn Press.
Copyright © 2018, Éditions Hurtubise inc. pour la traduction française.

ISBN (version imprimée) : 978-2-89781-184-6
ISBN (version numérique PDF) : 978-2-89781-185-3
ISBN (version numérique ePub) : 978-2-89781-186-0

Dépôt légal : 3ᵉ trimestre 2018
Bibliothèque et Archives nationales du Québec
Bibliothèque et Archives du Canada

Diffusion-distribution au Canada :
Distribution HMH
1815, avenue De Lorimier
Montréal (Québec) H2K 3W6
www.distributionhmh.com

Diffusion-distribution en Europe :
Librairie du Québec/DNM
30, rue Gay-Lussac
75005 Paris FRANCE
www.librairieduquebec.fr

Imprimé au Canada
www.editionshurtubise.com

Pour Frankie

Jetez vos rêves dans l'espace comme un cerf-volant,
et vous ne savez pas ce qu'il rapportera, une nouvelle vie,
un nouvel ami, un nouvel amour, un nouveau pays.

Anaïs Nin

Marche avec soin et beaucoup de tact. Et n'oublie pas
que la vie est un grand numéro d'équilibre.

Dr Seuss

Prologue

Le blogue de @ClementineL, Bonjour Girl, est un désastre. Ne vous donnez pas la peine de le lire. Une perte de temps.

Ce tweet horrible me rentre dedans comme une tonne de bottes, de sacs à main et de robes boho rétro. Ou comme un ouragan qui se déchaîne dans mon âme et laisse une blessure béante dans mon cœur. Je refoule mes larmes tout en rongeant distraitement mes ongles. Le nombre de ses abonnés Twitter me donne mal au ventre. Et puis son tweet malveillant est terriblement partagé. Bien trop, franchement. Achevez-moi, quelqu'un! Ça déterre de vieilles émotions négatives, toute la douleur et l'inquiétude qui ont failli me détruire l'an dernier. C'est pour ça que je suis venue ici, que je me suis évadée vers New York.

Je veux disparaître dans un trou de souris et y rester jusqu'à ce que le concierge de l'école trouve mes restes en décomposition.

Bon, d'accord, ça devient moche et mélo. J'efface. Je veux juste attraper le prochain vol pour Paris et ne plus jamais remettre les pieds en Amérique.

J'ai la nausée et le vertige en pensant que tout le corps étudiant de Parsons a sans doute vu ce tweet de merde et se moque maintenant de moi. Comme si ça ne suffisait pas, je pense à un proverbe latin que j'ai appris à l'école, en France : *Verba volant, scripta manent* ; ça veut dire : « Les paroles s'envolent, mais les écrits restent. » C'est pourri, complètement pourri.

C'est le chaos dans ma tête.

Je ne pourrai plus me faire d'amis.

Ceux qu'il me reste vont me trouver complètement minable et me délaisser.

J'ai perdu mes chances de réussir en tant que journaliste de mode.

Mon transfert à Parsons sera révoqué.

Mes parents vont ensuite m'achever et me rapatrier sur le vol suivant. (Pas si mal, compte tenu des circonstances. Ce serait bien, en fait.)

Encore une fois, les larmes me montent aux yeux, mais la colère m'empêche de pleurer. Les paroles mordantes de ma camarade de classe me mortifient. Surtout après tout ce que j'ai déjà subi dans ma vie personnelle.

Qu'est-ce que j'ai fait pour mériter tout ça ?

Chapitre un

Mon père dit toujours que je suis son porte-bonheur. En réalité, je ne crois pas à la chance.

Peut-être parce que je n'en ai pas tellement eu, mais j'ai l'impression que les choses vont changer. Sérieusement.

Je suis à moitié chinoise, et la chance joue un grand rôle dans notre culture : les numéros et les symboles chanceux, les couleurs favorables. Je crois aussi à ce vieux proverbe : la chance, c'est la rencontre de l'occasion avec la préparation.

J'ai tout fait pour me préparer à ma première journée à l'école de mode Parsons. J'ai convaincu mes parents surprotecteurs, trouvé un emploi d'été supplémentaire, laissé tomber une relation malsaine, rassemblé un portfolio, puis réalisé une vidéo culottée qui a soufflé le comité des inscriptions. C'était un boulot éreintant, mais ça en valait carrément la peine. Ouais : Marc Jacobs, Donna Karan, Anna Sui et Tom Ford – ils ont TOUS fréquenté cette école extraordinaire.

Camille, ma voisine à Paris, une vidéaste pleine d'avenir, m'a aidée à tourner un court métrage qui me montrait en train de grimper les marches de la rue Foyatier – celle qui monte jusqu'au Sacré-Cœur – en robe rétro flottante, tout en tenant des bombes fumigènes qui dégageaient des volutes roses et bleu vif, au son d'un hip-hop des années 90. Ma mère m'a dit que c'était un mélange magistral de classe et de sophistication. Moi, j'ai trouvé ça tout simplement génial.

J'ai demandé un transfert à Parsons en deuxième année. J'ai étudié un an au campus parisien, mais pour des raisons personnelles, j'ai décidé qu'il me fallait quitter la ville et venir à New York. Alors, me voici, les nerfs en boule, debout devant ce qui s'appelle The New School-Parsons School of Design. Loin de chez moi, je me sens anxieuse, et tout le monde sait à quel point règne l'esprit de compétition dans cette école. D'anciens étudiants de Parsons ont même tourné des vidéos là-dessus, elles sont sur YouTube. Je les ai toutes regardées, une à une, en essayant de ne pas me ronger les ongles. Il faut que je les protège, mes ongles : c'est ma marque de commerce, ils expriment mon sens décalé du style.

Je suis debout au beau milieu d'un trottoir new-yorkais, remplie d'espoir naïf, tandis que des étudiants pressés me contournent. Je lève les yeux vers les gratte-ciel tout en captant l'énergie électrique de la ville et les panneaux-réclames des plus grandes marques de mode du monde ; j'ai le cœur qui cogne, tellement je suis excitée.

Je m'appelle Clémentine. Oui, comme le fruit. Je me trouve plutôt acidulée, et juste assez suave. Mes parents m'ont donné le nom de leur couleur préférée. Je sais, ça paraît cucul, mais comme ils sont tous les deux un peu artistes, j'imagine qu'ils n'ont pas pu s'en empêcher.

Mon père est un homme d'affaires de Beijing. Il s'est établi à Paris pour ouvrir une boutique de vêtements et de livres rares. Il n'était pas transporté de joie à l'idée de laisser sa fille unique quitter l'Europe. New York, c'est vraiment différent. J'adore ; c'est la grande ville. Heureusement, Madeleine alias Maddie, la cousine de ma mère, sa cadette de dix ans qui enseigne à Parsons, m'a aidée à le convaincre.

Maddie a promis de bien s'occuper de moi et m'a même offert une chambre d'amis dans son génial appartement de Williamsburg. J'ai vraiment eu de la chance : elle habite dans un immense loft avec studio adjacent où elle garde ses incroyables collections de mode. J'espère seulement qu'elle me laissera porter certains de ses précieux chiffons.

Je ne mentirai pas : j'ai de grands rêves. Une fois diplômée, j'espère trouver un emploi dans l'industrie de la mode, un boulot qui me permettra d'écrire, de dessiner et de partager mes trouvailles. Comme un grand nombre de femmes que j'admire dans l'industrie – Garance Doré, Susie Bubble et Tavi Gevinson –, je veux faire partie de celles qui influencent la mode.

Lady Gaga disait : « J'essaie juste de changer le monde à coups de paillettes. » C'est ma devise. J'espère aider à renouveler le paysage actuel de la mode et faire bouger les choses. Il y a tellement de problèmes à régler, comme le dénigrement du physique et la publicité négative adressée à ma génération, qui montre les mannequins les plus grands, les plus minces et les plus parfaits à la place de vraies personnes. D'après moi, les vêtements doivent aider les gens à s'assumer, et non les réduire à l'état d'objets, et il n'y a pas qu'une seule morphologie, couleur de peau ou coiffure acceptable. J'aimerais participer à la discussion afin de laisser un effet durable. Je suis une activiste du renouveau de la mode.

Parlant de style, pour ma première journée en classe, je porte une robe bordeaux en soie fleurie, une cape de laine rétro signée Yves Saint Laurent, un vieux sac à main en cuir de mon arrière-grand-mère, des collants noirs et un grand chapeau de feutre à bords flottants. J'ai également ajouté des colliers rétro aux couleurs vives, que j'ai trouvés aux puces, et je porte des ballerines Repetto, parce qu'il est beaucoup plus facile de circuler dans le métro avec des chaussures plates. Heureusement, elles sont bien assorties à mon ensemble. La mode est ma religion, mon salut et ma motivation. Je ne peux pas pifer la mode conventionnelle ; je suis originale et différente, j'ai un petit nez retroussé et des tas de taches de rousseur, et je n'en fais qu'à ma tête.

Suis-je anxieuse de me sentir seule à New York ? Bien sûr. J'ai dix-neuf ans, je n'ai pas encore l'âge légal de boire, et même si je l'avais, New York coûte cher ; je n'aurais pas les moyens de sortir autant qu'à Paris. Et je n'ai plus de petit ami contre qui me blottir le vendredi soir ou pour m'emmener bruncher les week-ends au Jardin du Luxembourg. Mais ça va. Celui que j'ai abandonné n'était pas tellement gentil. En fait, c'était le parfait salaud. Poison, comme le parfum de Dior. Mais je ne veux plus m'attarder à ça ni à lui. C'est l'une des principales raisons pour lesquelles j'ai quitté Paris. J'ai besoin de rompre net, de recommencer à neuf.

Mon papa m'a dit qu'un ami proche lui avait demandé : « Qu'es-tu prêt à abandonner pour poursuivre tes rêves ? »

Je me suis beaucoup posé cette question. Le sage ami y a répondu pour moi : « Tout, rien de moins. » Debout devant l'entrée de l'école Parsons, Cinquième Avenue, avec une toile vierge pour avenir, je me dis que le sage avait mis le doigt sur quelque chose.

Je regarde l'étendue du ciel bleu pour remercier Cécile, mon arrière-grand-mère. Je sais qu'elle est un peu responsable de ma présence ici. Le bras en l'air, je lui lève mon pouce.

Entre filles à la mode…

Chapitre deux

«Ma seule relation exclusive, je l'ai avec ma cafetière Nespresso», a dit, je me souviens, une étudiante de Parsons à propos de sa première année, dans une entrevue avec le magazine *Teen Vogue*.

Elle s'était attardée à décrire la lourde charge de travail et le programme scolaire bien rempli de l'école. Je me demande s'il est humainement possible d'y entretenir une relation amoureuse. J'ai tellement entendu parler d'étudiants victimes d'épuisement et de surmenage. Apparemment, beaucoup s'épuisent, et les autres passent la majeure partie de leur temps à travailler à des projets scolaires.

Telles sont les pensées qui me trottent dans la tête alors que je longe la bruyante cafétéria de l'école en allant à mon cours. Je ne sais pas pourquoi je me donne la peine de songer à une relation amoureuse – certains étudiants m'ont dit que la plupart des hommes du campus sont des gais, des fêtards ou des concierges.

J'essaie de repousser l'idée; sortir avec quelqu'un devrait être ma dernière préoccupation. Je suis là pour apprendre, grandir et prendre de l'expansion. J'ai vraiment hâte de participer à certains cours de création, même si je ne songe pas du tout à lancer ma propre marque. J'adore seulement me rapprocher du processus créatif et de tous ces tissus luxueux.

Après avoir cueilli une tasse de thé à la cafétéria du sous-sol, je me rends enfin à la salle de cours et je cherche un siège. Je repère une place au milieu, près de la fenêtre. Je vide le contenu de mon sac sur ma table : mon agenda papier à couverture à pois et une trousse à crayons rose pâle, remplie de stylos de toutes les couleurs. Mes accessoires attirent quelques regards obliques.

Je ne suis pas étonnée. Par comparaison avec la plupart des étudiants ici, j'ai l'air d'une anomalie. Ou de Miley Cyrus, selon le point de vue. Surtout avec chacun de mes ongles vernis d'une couleur différente, mon sac à dos arc-en-ciel et ma tonne de colliers rétro. C'est un look plus féminin, plus flamboyant que celui des autres ici. Mais qui me convient parfaitement.

J'ai fait un saut à l'école hier pour prendre des livres, et j'ai remarqué que la plupart des jeunes s'habillent tout en noir – tu sais, ce look gothique : trop grand, ample, avec beaucoup de bijoux en forme de crâne. Ce style rendu célèbre par le créateur Rick Owens me rappelle les vidéos de Marilyn Manson. C'est tellement éloigné du mien. D'après Maddie, les enseignants disent à la blague que la palette de l'école se borne au noir, au gris et au blanc. Je trouve ça assommant.

Je savais que j'allais ressortir ici, et ça me va. Ce qui m'émerveille, ce sont les blogueuses de mode qui se teignent avec audace les cheveux en rose et en pourpre, et portent des robes arc-en-ciel miroitantes. Comprends-moi bien ; j'apprécie l'élégance parisienne bon chic bon genre, mais ce style mode ? Pas tant que ça.

En plus de ne porter que du noir, certains de mes camarades de classe ont l'air franchement caractériels. Je ne me laisse pas taper sur les nerfs. Je suppose que Coco Chanel s'est fait regarder de travers lorsqu'elle portait ses vêtements d'avant-garde, et je parie qu'elle a ignoré cela. Elle assurait complètement, et elle m'inspire tellement.

Je regarde autour de moi dans la salle en espérant trouver une tribu de même sensibilité, et je remarque à l'arrière quelques jeunes femmes penchées ensemble, ramassées les unes contre les autres au-dessus d'un iPad. Je reconnais à l'écran les animateurs de *Projet haute couture*. Ce n'est pas étonnant ; des segments de l'émission sont parfois filmés ici, sur le campus. Ces femmes rient et applaudissent. Je décide d'aller les voir.

— Hé, dit l'une d'elles sans lever les yeux de l'écran. Ça va ?

— Salut, je m'appelle Clémentine. Je voulais juste me présenter.

— Salut, répond une autre sans prendre la peine de détacher ses yeux de l'écran.

— Clémentine. Eh bien, c'est intéressant, dit une autre.

Comme je ne sais pas trop si elle est gentille ou sarcastique, je maintiens une distance calme. Mais je garde espoir.

— D'où tu viens ? demande l'une des filles après s'être arrachée à l'écran pour me scruter de haut en bas.

— Paris. Beijing. Tout dépend de quel aspect de ma vie. Avant : Beijing. Dernièrement : Paris.

— Oh, c'est chic… excusez-moi, répond la plus grande du trio, une brunette, en parodiant l'accent français.

Je réagis par un sourire tendu.

— On aime bien Paris, hein, les filles ? dit-elle, et elles se mettent toutes à roucouler.

Comme je ne sais pas encore si elles sont sincères, j'essaie de voir le bon côté : je pourrais me faire des amies. L'une d'elles porte un blouson d'aviateur en satin, couleur citron éclatant, un cardigan rayé rétro et un jean de mec retroussé, avec des ballerines bleu roi. Elle a des cheveux noirs bouclés et ébouriffés, et des yeux perçants, d'un vert félin.

— Eh, je m'appelle Stella, dit-elle en tendant la main.

Puis elle me présente ses amies Chloe et Nathalie.

— Contente de vous rencontrer, dis-je. J'aime ton blouson. La couleur est splendide. Très rafraîchissante.

— Sans blague, non ? dit Stella. Il n'y en a pas beaucoup ici qui raffolent de la couleur. Je pense qu'on est les intrépides.

Elle désigne l'ensemble de la salle.

— D'où tu viens ? je lui demande.

Stella paraît non seulement plus âgée que mes autres camarades de classe, mais plus mûre et beaucoup plus sûre d'elle.

— De Chicago, dit Stella. J'ai été transférée en deuxième l'an passé. J'ai laissé la faculté de droit pour m'inscrire au programme de mode de Parsons. J'imagine que je n'étais pas faite pour être un as du Barreau.

Stella n'est pas seulement chic, elle a de la classe et de l'intelligence. C'est le genre d'amie que je cherche. J'espère lui faire la même impression.

— Ce sont des ballerines Repetto? demande-t-elle, admirative.

— Oui, tu as un bon œil.

— Je les repère de loin. J'aimerais tellement en avoir une paire de chaque couleur, dit Stella. Je les ai vues dans le *Vogue* français. J'en bave.

— Merci. Elles sont très confortables aussi, dis-je.

Ça me fait vraiment du bien qu'on ait trouvé un lien. La mode parisienne est toujours un bon point de départ.

— Eh, vous devriez louer une chambre, crie une voix féminine du ton le plus condescendant.

En me retournant, j'arrive nez à nez avec une femme lourdement maquillée, les bras tatoués tout du long, qui nous lance un regard menaçant. Sa tête est rasée du côté gauche. Elle porte un t-shirt gris, déchiré, sous un gilet noir, et semble avoir envie de nous étouffer. J'essaie de ne pas la juger sur son apparence (après tout, je suis ici pour défendre la diversité), mais mon ouverture d'esprit disparaît lorsqu'elle me lance son emballage de gomme à mâcher, qui atterrit dans mes cheveux. Stella et moi en restons muettes.

— Eh, m…? dis-je en bégayant.

La jeune femme me fait un clin d'œil exagéré qui fait bondir mon niveau d'anxiété. J'ai la nausée. Et ce n'est que mon premier cours.

Je n'ai jamais cru que je me ferais insulter et attaquer le premier jour. C'est pire que je ne le croyais. Je m'imagine lui dire ses quatre vérités. Ma mère m'a toujours enseigné à me défendre. Mais je décide de me comporter d'une façon irréprochable et de l'ignorer. J'espère seulement que cette femme se tiendra loin et surtout, que je ne regretterai pas ma décision de m'être inscrite à la New School.

L'avenir le dira.

Chapitre trois

— La beauté passe, mais la débilité, c'est pour toujours, murmure une voix masculine.

— Pardon ? je réplique en me retournant.

Bon maintenant, je me sens vraiment insultée. Mon père avait raison : j'aurais dû rester en France.

— Non, chérie, je ne parle pas de toi, me dit avec un sourire futé le type assis à côté de moi. Je parle de cette grosse conne qui vient de t'insulter. Je m'appelle Jake. Et toi ?

Je relaxe et tends ma main. Ce gars-là me plaît déjà.

— Clémentine.

— Clémentine ? Wow, beau nom. T'en fais pas à propos de Miss Rabat-Joie, elle a probablement oublié de prendre ses tranquillisants, dit-il en secouant la tête et en coinçant un crayon derrière son oreille.

— Merci, je lui dis en me retournant vers lui pour mieux l'examiner.

Il a une silhouette ronde et le sourire le plus doux qui soit. Il porte de grosses lunettes à monture noire de hipster, un pantalon à carreaux noirs et blancs, et un sweat gris qui dit, en gros caractères blancs : *PLUS COSTAUD QUE COSMO*. Il porte aussi les sneakers les plus cool du monde, avec des lacets argentés, des lunes et des étoiles brillantes. Jake paraît plus âgé que la plupart des autres étudiants de la classe, y compris Stella. Il semble avoir à peu près vingt-cinq ans.

— Tu viens d'où, ma belle ? qu'il demande.

Ça me fait sourire.

— De Paris, je dis en lançant l'emballage de gomme à mâcher dans mon gobelet de carton vide.

— J'aurais dû deviner en voyant ton look chic.

De son crayon, il pointe mon ensemble.

Pfff. Si seulement il savait que j'ai trouvé la robe à l'Armée du Salut, mon territoire de chasse préféré quand je viens à New York. Je décide de garder ça pour moi. Je n'ai pas besoin des commentaires mesquins de la police de la mode.

— Est-ce que tu habites dans les dortoirs des étudiants ? qu'il demande.

— Non, à Brooklyn. Avec une coloc.

— Cool. Mais tu rates des fêtes délirantes. J'ai entendu dire que des filles s'éclatent pas mal, des fois.

Je hausse les épaules. Ce n'est pas pour ça que je suis venue ici. Je ne lui dis pas que mes parents me permettent de boire à la maison, si je veux. Pour moi, ça va de soi.

— Et toi, d'où tu viens ? je demande.

— Du Queens. Ce n'est pas aussi prestigieux que la Ville Lumière. On n'a pas le Louvre, mais on a la Maison Louis Armstrong ; tu sais, le trompettiste ?

— Intéressant.

— Ouais. C'est un hommage à son talent incroyable et à la passion de sa femme pour le papier peint rétro. Pour moi, c'était toute une personnalité.

Il pose la main sur son cœur.

— J'adore la *Toile de Jouy.*

Il dit ça avec un faux accent français qui fait fondre ma frustration.

— C'est bon de te rencontrer, Jake. Et merci de veiller sur moi, dis-je, en braquant les yeux sur la *hater.*

Elle m'ignore et fait mine de détourner les yeux. Je la balaie d'un geste ; j'ai des préoccupations plus importantes, comme de faire bonne impression au cours de ma première journée d'école.

Je prends un siège, je fais un signe de la main à Stella et un clin d'œil à Jake. Je les apprécie tous les deux. Je les vois déjà faire partie de ma meute, ma nouvelle « famille chic », façon de parler. J'ouvre mon cahier pendant que Jake me regarde fixement les ongles. Je vois qu'il est impressionné par les minuscules marguerites blanches à cœur doré que j'y ai collées. Je me pâme de fierté. C'est peut-être le début d'une fabuleuse amitié.

Notre professeure entre en classe. La mi-trentaine, on dirait, en noir de la tête aux pieds, avec un collier de perles et des oxfords Prada à semelle compensée. Elle porte des lunettes rétro, et ses cheveux sont joliment attachés avec un ruban. Elle n'a pas autant de style que Maddie, mais elle paraît élégante et brillante. Elle repasse le plan du cours et nous demande de nous associer à un camarade pour discuter de notre relation personnelle à la mode.

Je me fige sur mon siège à la pensée de me retrouver avec le petit tyran de la classe, mais je me détends quand Jake se penche vers moi.

— Bon, ma chérie, dit-il en ajustant ses verres, il faut qu'on devienne intimes. Comme je suis un vrai moulin à paroles, je devrais commencer, non ?

— S'il te plaît, oui, dis-je, heureuse de le laisser prendre les devants.

— Très bien, alors, puisqu'il faut y aller. Je viens d'une longue lignée de commerçants de Queens. Mon père possède une boutique de tissus qui appartenait à son père, et ma mère est couturière. Ensemble, ils ont probablement arrangé tous les ourlets du quartier d'Astoria. Ils possèdent aussi une blanchisserie. J'y travaille le soir et le week-end en plus de faire de la pige. Je suis l'héritier présomptif de l'empire familial.

— Cool. Je trouve ça pas mal génial.

Jake est tellement authentique que je suis déjà sous son charme. Je vois bien que lui et sa famille mettent du cœur et de l'effort à la tâche, et ont un esprit généreux. Je pourrais l'écouter parler toute la journée.

— Mais je cherche à étendre mes activités… à la création de mode, ajoute-t-il, le regard brillant. À vrai dire, je ne suis pas un débutant dans le domaine. J'ai étudié l'histoire de la mode au collège, j'ai été stagiaire à l'Institut du costume du Met et je couds depuis l'âge de neuf ans. J'ai décidé d'étudier à Parsons pour avoir de l'expérience de première main à l'intérieur de leur rigoureux programme de création de mode, si tu vois ce que je veux dire. C'est tout, ma chérie. C'est toute mon histoire personnelle.

— Tu veux devenir créateur de mode ? Avec ton propre label ? Ça prend beaucoup de travail et de discipline. Mais j'imagine que tu sais déjà ça, non ?

— Ouais. J'en prends note. Le Zac Posen en taille extra-grande, c'est moi, dit-il en riant. Le commerce de mon père ne m'attire pas, mais la confection, oui.

— As-tu une muse?

— C'est ma mère, répond Jake sans hésiter. Elle porte des échantillons de chez Loehmann et les modifie à la perfection; elle les transforme en haute couture. C'est de la magie, vraiment.

Il a les yeux écarquillés par la ferveur. Je vois qu'il adore sa vocation, ça ne fait aucun doute. Il est rempli de passion et de détermination.

— Et j'admire son cran. Elle est en fauteuil roulant depuis dix ans, elle ne se plaint jamais et elle est toujours superbe. Elle sera toujours ma première source d'inspiration.

J'ai le cœur qui fond. J'adorerais rencontrer sa maman. Elle paraît bien plus approchable, terre-à-terre et franchement inspirante que la mienne. La plupart du temps, ma mère me donne la migraine avec tous ses drames.

— Elle a l'air incroyable. Alors, quel genre de concepts as-tu en tête? je demande.

Je l'imagine devenir le prochain Isaac Mizrahi, le créateur new-yorkais qui a réussi dans les années 90. Il a la même répartie, le même gros rire et le même physique. Ma mère dirait: «Il est adorable.» Je le trouve vraiment trop mimi.

— Eh bien, qu'il dit en regardant dans la salle pour s'assurer que personne n'écoute, j'ai cette idée: je veux me concentrer sur les vêtements pour personnes handicapées. Je veux changer des choses dans cette industrie, et je sais que je peux avoir un effet. C'est mon plan de match, Clémentine.

Il baisse la voix et brandit l'index.

— Je te fais confiance ; c'est ma stratégie secrète.

Pour bien appuyer ses paroles, il abaisse ses lunettes sur le bout de son nez.

Wow. Je suis vraiment impressionnée par son concept. Il me rappelle quelque chose que j'ai lu : un étudiant de Parsons a créé une collection inspirée par les réfugiés syriens. L'un des éléments principaux de sa collection était une tente portable et facile à convertir en veste.

Non seulement c'est impressionnant, mais c'est aussi une immense coïncidence. Quelles sont les chances pour que je vienne à Parsons en rêvant de guider le monde de la mode vers une plus grande diversité et des choix écolos, et que le premier gars que je rencontre veuille dessiner des vêtements inspirés par les mêmes principes ?

Nous devons être des âmes sœurs. Je suis flattée que Jake me fasse confiance aussi vite.

— Ne t'en fais pas, Jake, tu peux me faire entièrement confiance. Je parie que tes créations seront un immense succès.

— Merci, chérie. J'apprécie. Alors, c'est quoi, ton histoire ? demande-t-il, les yeux débordants de curiosité.

— Eh bien, dis-je en me raclant la gorge, contrairement à toi, je n'avais jamais étudié la mode, mais elle me passionne depuis l'école primaire. Mon arrière-grand-mère française, Cécile, était une femme suprêmement à la mode, à son époque. C'est ma muse à moi.

— Cool. Dis-moi tout.

— Euh, tout d'abord, dans les années 40, elle était mannequin pour Madame Grès, la dessinatrice de mode.

— *OH MY GOD !* ARRÊTE ! hurle Jake en faisant se retourner toutes les têtes.

Mon visage prend une teinte rouge Valentino. Je veux me réfugier sous mon bureau, mais je me ferais encore plus remarquer.

— Non, mais, ça va pas ?

La pauvre fille nous regarde encore fixement et je baisse rapidement les yeux vers mes ongles. Peut-être bien que j'aurais dû aller à l'école de beauté, à la place.

— Chut. Arrête ! Je ne veux pas attirer l'attention des bornés, je murmure.

— On s'en fout. Je veux entendre parler de ton arrière-grand-mère. Elle me paraît fantabuleuse. Mon Dieu, je suis tombé amoureux de ces merveilleuses robes de chez Madame Grès quand je travaillais aux archives du Met.

Il pose les coudes sur ses genoux comme un amateur de sport qui regarde un match de soccer. Je suis flattée que ma vie lui paraisse aussi captivante.

— Alors, Cécile adorait sortir en ville. Elle avait un style éclectique et se faisait remarquer par les avant-gardistes de la mode. Elle n'était pas tellement riche, mais elle avait bon goût.

J'ai de doux souvenirs de nos après-midis de lèche-vitrine à Paris.

— Je me rappelle avoir visité mon premier salon de la haute couture avec elle. J'avais une dizaine d'années, et même si j'étais très jeune, je me rappelle encore certains détails de la journée. Cécile est morte seulement quelques mois plus tard. Je suis tellement contente d'avoir partagé ce moment particulier avec elle.

— J'imagine, dit Jake. Bon... quoi d'autre ?

Il boit chacune de mes paroles. Il est si près du bord de sa chaise que j'ai peur de le voir tomber. Ce ne serait pas joli.

— Madame Grès était impressionnée par Cécile : elle adorait son style, ses traits originaux et son appréciation des beaux vêtements. Elle lui a demandé d'être son mannequin exclusif et de montrer ses robes à la presse locale.

Je désigne mon collier de perles.

— Celui-ci appartenait à Cécile.

— Oooh, c'est adorable, qu'il roucoule. As-tu des photos d'elle ?

Il fourre littéralement le nez dans mon sac.

— C'est qui, Cécile ? demande la fille pas sympa, qui arrive de nulle part et se plante devant moi, les bras croisés.

Je suis tentée de lui dire d'aller se faire voir, mais je me mets plutôt à rire en voyant Jake faire d'hilarantes singeries en cachette. Il veut que je me taise, mais je décide de changer de tactique. Mon intuition me dit que c'est une façon bien plus efficace de m'occuper d'elle.

— C'était mon arrière-grand-mère. Elle a été mannequin pour Madame Grès à Paris, dans les années 1940. Rien de plus, dis-je en imitant nonchalamment Meryl Streep dans le film *Le diable s'habille en Prada.*

Je me tourne vers Jake comme pour la renvoyer.

— Oh là làà, dit-elle.

Sa froideur se transforme, mais en quoi, je ne sais pas. Elle est difficile à décoder. Elle semble vouloir ajouter quelques mots, mais je n'ai aucun intérêt à me lancer dans une conversation avec elle.

— Règle ton problème de condescendance, ma fille, dit Jake en remuant le doigt. C'est quoi, ton nom ?

— C'est Ellie.

Elle croise les bras, de nouveau condescendante, et s'en va d'un air furieux, puis lance par-dessus son épaule :

— J'imagine que je ne suis pas vraiment dans le trip boho rétro. C'est le style de ma mère, et je ne lui parle pas depuis des années.

Je comprends. Moi aussi, j'ai des problèmes avec ma mère. J'imagine que tout le monde a son histoire. Si seulement on parlait plus au lieu de lancer des emballages de gomme. Je décide seulement de faire comme si elle n'était pas là.

Et voilà. C'est ça. C'est Cécile, encore. Heureusement, j'ai ça dans le sang, garder mon calme. Je suis reconnaissante d'avoir eu dans ma famille une femme qui était maîtresse d'elle-même. J'espère seulement pouvoir faire pareil et être aussi forte qu'elle l'était.

Chapitre quatre

— D'accord, chérie, je t'ai parlé de mes rêves. Il est temps que tu partages les tiens, dit Jake avec une étincelle dans le regard.

Il lève un sourcil espiègle et on dirait qu'on échange des histoires de rencontres, plutôt que des plans d'avenir.

— Écrire, tenir un blogue sur la mode et créer une plateforme internationale.

Il roule des yeux et lève la main comme un agent de la circulation.

— *Oh, please*, pas un autre blogue de mode ! Crois-moi, ma puce, le monde n'en a pas besoin. Le marché est déjà plutôt saturé.

Aïe. J'espérais qu'il soit plus enthousiaste. C'est vrai, il y a des tonnes de blogueurs de mode. Je suis bien placée pour le savoir ; j'en suis quelques-uns. Je suis fana des plus populaires : Bryanboy, Nicole Warne de Gary Pepper Girl, Mr. Bags et Aimee Song de Song of Style. Aussi, j'aime bien le blogue Dentelle + Fleurs. Mais mon concept est tout à fait différent. J'aimerais qu'il me laisse y arriver au lieu de m'interrompre.

— Ce n'est pas ce que tu penses. Je ne cherche pas à promouvoir des marques ou des labels de mode. Je veux écrire sur la diversité et l'écomode, et devenir la voix de ma génération.

— Bien sûr.

Il roule encore des yeux. J'imagine qu'il ne saisit pas le concept.

— Mon blogue me permettra d'interviewer des pionniers du monde entier qui veulent changer les choses dans cette industrie. Des gens d'origines, de religions et d'orientations sexuelles variées. Des intervenants avec un message politique fort, pas seulement des gens célèbres. Je veux décrire une nouvelle sorte d'icône qui peut remuer l'industrie et nous faire réfléchir. Je pense qu'il est important de faire entendre leur message.

— Maintenant, on parle le même langage, dit Jake en changeant d'avis. Le culot de ton arrière-grand-mère est inscrit dans tes gènes. Dans ce cas, vas-y. Mais fais attention, la diversité est en train de devenir un mot creux dans l'industrie. Assure-toi seulement que ce n'est pas une stratégie de marketing bidon.

— Je comprends. Je veux y aller en profondeur. Inspirée par mes propres expériences de vie.

Le seul fait de le dire ramène un flot de souvenirs pénibles.

— Oh? Comment donc? demande-t-il.

Je vois que j'ai piqué sa curiosité.

— Juste des souvenirs de lycée : à l'école que je fréquentais à Paris, je ne cadrais pas avec les filles qui avaient la cote. Je me sentais toujours jugée et rejetée à cause de mon apparence. C'était atroce. J'étais malheureuse et je manquais d'assurance.

— Je suis désolé d'entendre ça, chérie. Je comprends tout à fait. À l'école secondaire, j'étais complètement exclu et je subissais tellement de blagues et de commentaires obscènes, tu ne peux pas t'imaginer. Mais regarde où je suis maintenant. Je suis à la veille de conquérir la Septième Avenue. Et tout le monde de la mode. Tout comme Cécile.

— Tu as une partie de son culot, aussi. Tu me rappelles un peu ma mère. Elle exprime librement son opinion, comme toi.

— Oh ? Qu'est-ce qu'elle fait ? demande Jake.

Il regarde en direction de notre enseignante, pour s'assurer qu'il reste du temps pour continuer notre conversation. J'espère bien ; on dirait qu'on vient à peine de commencer.

— C'est une célèbre chanteuse d'opéra, que je réponds d'un ton impassible, sachant que cela soulèvera une autre réaction forte.

Comme d'habitude. J'en frémis à l'avance.

Ses yeux s'arrondissent et deviennent aussi grands que ceux de Katy Perry.

— EH, T'ES INCROYABLE ! Ta vie ressemble à un film.

— Te fais pas d'illusion. C'est plutôt un mauvais mélo à l'eau de rose.

— Oh, voyons. Tu n'es pas sérieuse. Ça ne peut pas être aussi mauvais : Paris, Madame Grès – et ta maman est une célèbre chanteuse d'opéra. Mon Dieu, tu crois que tes parents peuvent m'adopter ?

Je secoue la tête. Ma vie n'est pas un conte de fées, loin de là. Si seulement il savait. En vérité, ma famille a failli imploser quand ma mère a accepté un contrat de deux ans pour chanter à La Scala de Milan, il y a quelques années, et que mon père s'est consolé dans les bras de sa vendeuse. Pour aggraver la situation, ma mère s'est mise à biberonner pour calmer son trac, et mon père à prendre des calmants pour engourdir sa douleur.

Les deux ont mis fin à leurs histoires idiotes quand ma mère est rentrée à Paris. Comme c'est une femme à l'esprit ouvert, elle a pardonné son flirt à mon père et est rapidement passée à autre chose. Je la soupçonne de n'avoir pas été une épouse tout à fait fidèle, non plus, lorsqu'elle chantait en Italie. Tout s'est bien passé jusqu'à ce qu'elle décide de séduire mon copain, Charles, le printemps dernier. Maintenant mon ex-copain, à vrai dire. Elle a dit qu'elle n'avait pas pu s'en empêcher; qu'elle avait de l'attirance envers les jeunes hommes. C'est encore partout dans les magazines à potins européens. C'était tellement gênant et dégueu, en plus. C'est pourquoi j'ai dû quitter la maison : pour garder ma santé mentale. J'avais besoin de rompre avec tout le drame familial. Alors j'ai demandé à être transférée à New York.

— Non, mes parents ne peuvent pas t'adopter. Ça ferait de toi mon demi-frère et je devrais chercher la bagarre, être impolie et te donner des ordres. On ne peut pas faire ça. Je préfère de loin t'avoir comme ami.

— C'est très présomptueux de ta part de m'appeler ton ami, Clem. Mais j'aime ça. *Beaucoup*. Toi et moi, on va prendre la tête de l'école.

— Ça me semble prometteur. Je nous vois déjà dans le *Times* du dimanche, je réplique.

C'est vrai, je nous vois vraiment en tête de notre classe.

— D'accord, alors, comment s'appelle ton site Web?

Jake revient au début de notre conversation. Il est tout sérieux, à présent.

— Bonjour Girl. Qu'en penses-tu?

Je le retourne dans ma tête depuis tellement longtemps. J'espère qu'il aime.

— Hmm, donne-moi une seconde.

Il pose la main sur son menton, ce qui me rappelle *Le Penseur* de Rodin. Même si Jake est loin d'avoir le physique du *Penseur*, il en a la peau douce et les traits raffinés.

— Alors? je demande, inquiète du fait qu'il ne l'aime pas.

Nous venons de nous rencontrer, mais il me plaît de plus en plus. Étrangement, ses opinions comptent pour moi.

— Je réfléchis, je réfléchis, dit Jake en mordillant le bout de son crayon. Tu sais quoi, Clem? J'ADORE. C'est accrocheur, avec une tournure française. Je dis: vas-y, fonce, ma belle. Je serai ton premier lecteur.

— Vraiment? Wow, merci. C'est tellement important pour moi. Maintenant que tu connais mon secret, s'il te plaît, garde-le pour toi.

— Croix de bois, croix de fer, si je mens, je vais en enfer.

— On vient de se rencontrer, mais je te fais confiance, Jake, tout comme à un frère, lui dis-je en le taquinant. Et comme tu me plais vraiment, arrange-toi pour ne pas partir en enfer.

— Aaah, c'est tellement gentil. Et tu dois me faire confiance. Je fais partie de la famille, maintenant.

Le *fist bump* me fait rigoler, mais notre professeure interrompt notre discussion pour poursuivre son cours.

Elle nous dit que dans ce monde hautement interactif, il est impératif de donner une forte identité visuelle à notre marque personnelle, surtout pour survivre et prospérer dans l'univers impitoyable de la mode. Pour y arriver, nous devons fouiller profondément notre propre passé et explorer notre histoire personnelle, ce qui explique l'exercice qu'elle nous a fait faire. Je comprends ce qu'elle dit. Cela me donne quelques idées pour mon site Web. Je prends des notes quand Jake me donne un petit coup de crayon dans les côtes.

— Eh, Clem… qu'il chuchote.

— Quoi? J'essaie d'écrire tout ça. C'est important, je réponds en murmurant.

— Désolé, mais quelqu'un te regarde.

Il pointe du doigt la porte et je vois Maddie qui épie par la fenêtre. Elle fait un signe de la main et je le lui retourne.

Ouf. Une fraction de seconde, j'ai cru que c'était cette Ellie qui me regardait fixement. J'ai besoin de m'en remettre et de travailler à développer mon assurance. Mais ce n'est pas si facile quand on a eu une vie en montagnes russes, comme moi.

Combien de temps me faudra-t-il pour me remettre de la liaison gênante de ma mère avec mon ex?

Plus tôt que tard, j'espère. Il est temps que je l'oublie et que je passe à autre chose.

Chapitre cinq

— Est-ce que j'ai rêvé ? Tu paraissais déçue de me voir, me lance Maddie dès que je sors de la salle de cours.

— Déçue ? Tu veux rire ? Pourquoi est-ce que je serais déçue ?

Maddie a probablement deviné mon insécurité. Je ne veux pas que mes camarades de classe découvrent qu'on est de la même famille ; on s'est entendues pour garder ça secret, à l'extérieur de l'école, pour éviter toute perception de favoritisme. Ils connaissent déjà assez de détails sur moi. Je ne veux plus de problèmes. Mais je suis si fière d'avoir quelqu'un d'aussi chic dans ma famille. Je voudrais le crier sur les toits.

Maddie paraît particulièrement superbe, aujourd'hui, dans un trench de cuir noir et souple, un col roulé rose indien en cachemire, des bottes de cuir verni noir et de grandes lunettes. Elle a accessoirisé son look avec un collier de perles de verre colorées. Maddie me fait penser à une jeune Iris Apfel qui, à quatre-vingt-quinze ans, a récemment pris d'assaut la Semaine de la Mode de Paris et volé la vedette aux top-modèles. Je pense qu'Iris et Cécile se seraient entendues comme larrons en foire.

— Alors, ça s'est passé comment ? demande-t-elle.

— C'était très bien ! Notre cours était super inspirant. Je suis vraiment contente d'être ici. Je n'arriverai jamais à assez te remercier d'avoir convaincu mon papa de me laisser venir à New York, que je murmure.

— J'y suis pour très peu ; c'est toi qui l'as convaincu. Tu es en train de vivre ton rêve, ma fille. Je suis si fière de toi.

Elle me donne une petite tape dans le dos.

Maddie est mon autre muse. Elle est arrivée première de sa classe à l'école de mode, a reçu une bourse pour une maîtrise en création de costumes d'un prestigieux collège à Londres, a été choisie comme juge pour l'émission de télévision à succès *America's Next Top Model* et est l'un de nos plus jeunes professeurs dans un collège de mode international.

Et tu sais quoi ? Elle a atteint ces hautes sphères professionnelles non pas en marchant sur les pieds de quelqu'un d'autre, mais uniquement grâce à son talent et à son travail incessant. Elle aurait facilement pu devenir la prochaine Diane von Furstenberg en créant sa propre collection, mais dans un moment déterminant, elle a compris le sens de sa vie et choisi l'enseignement supérieur plutôt que le succès commercial. Maintenant, elle porte fièrement les collections de ses étudiants lors des soirées mondaines et, ce faisant, les rend fiers (en même temps qu'elle).

C'est ce que je veux devenir un jour : un mentor encourageant, futé et chic pour d'autres personnes. Avec des tonnes de vêtements, de voyages à l'étranger et d'accès à des défilés de mode.

On peut toujours rêver.

— Je me suis fait un nouvel ami, aujourd'hui, je dis en cherchant Jake autour de moi.

Je lui envoie un signe de la main et il arrive d'un pas nonchalant.

— Jake, j'aimerais te présenter Maddie Laurent. Elle enseigne la création de mode ici, et elle m'a beaucoup aidée à remplir la paperasse pour mon transfert de la France. Je suis sûre que vous allez collaborer à certains projets.

Il la regarde fixement de la tête aux pieds d'un regard approbateur.

— Oh mon Dieu. CE MANTEAU!

Il s'approche pour en inspecter les détails.

— Salut, Maddie, c'est tout un plaisir pour moi. J'ai tellement entendu parler de vous. Veuillez me pardonner de baver d'admiration, mais je n'avais jamais été si près d'un Dries Van Noten.

— Ravie de vous rencontrer aussi, Jake, dit Maddie avec son élégant sourire. Bienvenue dans la famille Parsons.

— Merci. Parlant de famille, saviez-vous que l'arrière-grand-mère de Clémentine était célèbre?

Maddie me lance un regard de côté. Je hoche un peu la tête pour qu'elle sache que je ne lui ai pas dit que nous sommes parentes.

— Sa famille a probablement fait l'objet d'un article de *Paris Match*, ajoute Jake à voix haute en balançant son grand sac à dos sur son épaule. J'ai demandé l'adoption et j'ai hâte de recevoir une réponse.

— Vraiment? répond Maddie, faussement timide. Je l'ignorais tout à fait.

Il a raison : ma famille a fait l'objet de longs articles de magazines français à potins, surtout quand ma mère s'est fait surprendre par les paparazzi à la sortie d'une boîte de nuit à Paris, en état d'ivresse, en compagnie du petit ami de sa fille. Je garde ça pour moi et je sais que Maddie fera de même. Nous n'avons pas à cancaner davantage sur ma famille.

— Maddie raffole du rétro. C'est pour ça qu'on s'entend bien.

— C'est vrai. Je vois. Ma famille possède des tonnes de rétro : des piles et des piles de choses que des gens ont déposées et ne sont jamais venus cueillir, nous apprend Jake. Ne vous gênez pas pour vous arrêter quand vous voudrez chez Fancy Free Dry Cleaners et pour vous servir à même la marchandise. Mon père se demande quoi faire de tout ça.

— Merci, Jake, c'est gentil à vous, dit Maddie.

Je sais qu'elle cherche du rétro dans des boutiques chics à Paris, à Londres et à L.A., mais elle fait comme si l'offre était alléchante. Elle est tellement classe !

— D'ailleurs, je me suis inscrit à votre prochain cours et j'ai tellement hâte, annonce Jake d'un ton vibrant. Vous êtes une véritable légende, ici.

— Merci, Jake. J'ai hâte de vous y voir, dit Maddie.

Cela fait monter une étincelle dans les yeux de Jake.

— Il faut que j'y aille ; je ne veux pas rater mon prochain cours. Je te vois plus tard, Clem.

Je le regarde s'éloigner en flânant, excitée d'avoir un nouvel ami aussi cool. J'ai déjà hâte de le revoir demain.

— Comme il est charmant. Je suis contente que tu l'aies rencontré, me confie Maddie. L'école a la réputation d'être compétitive. Ce ne sont pas tous les étudiants qui se font des amis aussi rapidement.

Je voudrais dire que j'en ai déjà été directement témoin, mais je garde ça pour moi. Je ne veux pas avoir l'air d'une enfant.

— C'est quand, ton prochain cours ? s'informe Maddie en regardant sa montre.

— Pas avant quatorze heures. Pourquoi ? je demande.

— Ça te tente d'aller déjeuner ?

— Ça me paraît formidable. Je suis partante.

— D'accord, suis-moi, ma chérie, m'intime Maddie, comme si elle avait quelque chose dans sa manche de créatrice.

Je ne le sais pas encore, mais je suis sur le point d'être vraiment inspirée.

Chapitre six

Aussitôt entrée au Midi, un charmant bistro français de la Treizième Rue, juste à côté de l'école Parsons, je me sens chez moi.

Je balaie le restaurant du regard, ses nappes blanches pressées et son long bar où sont alignés des vins français. Cela me rappelle les déjeuners avec mon père dans le quartier Saint-Germain, à Paris.

Plus emballant encore, Maddie semble connaître tout le monde de l'endroit. Elle fait des signes de la main et de la tête à chaque table proche. J'imagine que c'est un lieu de prédilection pour les enseignants de Parsons. Elle me présente à la cantonade comme l'une de ses étudiantes étrangères. Je suis très contente.

Nous nous installons à une table du coin qui surplombe la rue affairée, et je dois me pincer pour m'assurer que je ne rêve pas. Aujourd'hui, je suis aux anges.

— Merci de ton soutien, Maddie. C'est très important. J'espère seulement pouvoir être à la hauteur de l'école.

— Bien sûr que oui. Je sais à quel point tu es brillante.

— Merci. Je suis prête à travailler autant qu'il le faudra. Mais arrêtons de parler de moi. Et toi ? As-tu fait des rencontres intéressantes, dernièrement ?

— Eh bien, à la vérité, j'ai fréquenté ce type, là-bas, pendant quelques mois, l'an dernier, murmure Maddie d'un ton de conspirateur.

En tournant discrètement la tête, je repère un homme dans la mi-quarantaine, qui porte un pull ras du cou. Comme il me surprend à le regarder, je tourne rapidement la tête.

— Qu'est-ce qui s'est passé ?

— Un gars gentil, mais vraiment ennuyeux.

Elle mime un bâillement.

— Tu ne devrais pas avoir de difficulté à rencontrer des types créatifs qui aiment s'amuser, par ici, je dis en posant ma serviette sur mes genoux.

— C'est vrai, acquiesce-t-elle d'un ton nonchalant. Commandons. Je suis affamée.

Elle prend son menu, en partie pour cacher un étrange sourire sur son visage. Elle cache quelque chose. Mais quoi ?

— Qu'est-ce que tu recommandes ? je demande en parcourant le menu.

Je reconnais tous les plats français traditionnels.

— Tout. Je viens tout le temps ici ; cet endroit, c'est comme mon second bureau. Le poulet bio est délicieux, tout comme la truite.

— Je vais prendre le burger, dis-je.

J'ai envie d'un plat américain.

— Avec des frites aux truffes en plat d'accompagnement. Et je ne les partagerai pas avant que tu me dises ce qui se passe ; je vois que tu caches quelque chose.

Je connais son point faible.

Elle referme son menu et répond par un sourire nar-quois. Je l'ai surprise en flagrant délit.

Nous passons nos commandes et elle parle enfin.

— Clémentine, j'ai une nouvelle extraordinaire : tu as reçu une bourse d'études.

Maddie enlève ses lunettes et ses yeux verts luisent comme un million de diamants éclatants. Je me cale, médusée et perplexe, comme si elle venait de me dire que j'allais m'envoler vers la Lune en fusée avec Alexander McQueen.

— Je... quoi ?

Maddie voit ma perplexité.

— Tu m'as dit que tu voulais créer ton propre site Web, non ? dit-elle en cherchant une validation.

— Oui, totalement. C'est mon rêve.

— L'école offre des ressources qui peuvent aider des étudiants à lancer des plateformes en ligne pendant l'apprentissage de leur métier. Cette bourse est reliée à tes activités, et j'ai rempli une demande en ton nom.

— Wow, merci !

Je n'en crois pas mes oreilles. C'est surréel.

— Mais qu'est-ce qui me... la vaut ?

— Eh bien, tu étais admissible pour plusieurs raisons. Tes résultats scolaires sont forts et tu as bien travaillé au cours de ton stage au magazine parisien. Ton style d'écriture est impeccable. Ton CV t'a bien servie.

— C'est incroyable !

Je bondis de ma chaise et manque de renverser mon verre d'eau. Je me penche sur la table pour lui donner une accolade géante, ce qui attire quelques regards gênés, surtout de son ancienne flamme. Je m'en fiche : ce n'est pas tous les jours qu'une fille reçoit une bourse pour l'aider à lancer sa propre entreprise.

Cette nouvelle est tellement inattendue que des larmes de joie roulent sur mes joues. Je les essuie avec ma serviette.

— C'est incroyable, Maddie. Je ne veux pas paraître cupide, mais… c'est combien ?

— Cinq mille dollars. Pas mal, non ? Ça devrait couvrir les frais de démarrage de ton blogue et payer la conception graphique et la publicité nécessaire pour faire décoller ton site, dit-elle fièrement.

J'arrive à peine à rester calme. Je suis tellement reconnaissante. J'ai déjà pris contact avec un concepteur graphique pour qu'il m'aide à construire le site. Le moment ne peut pas être mieux choisi.

— Merci, Maddie. C'est si important pour moi. Tu m'héberges déjà chez toi, et maintenant, tu m'offres ça ! Tu es un ange.

Elle écarte mon compliment de la main et prend une gorgée d'eau.

Le serveur nous apporte nos plats et j'attaque avec plaisir mes frites aux truffes. Être gonflée à bloc, ça me met en appétit, c'est sûr.

— Dommage que je doive enseigner et que tu aies ton cours cet après-midi, sinon je commanderais une bouteille de rouge, dit Maddie en sirotant son eau pétillante.

— Un verre de bordeaux ne fait jamais de tort à personne, surtout lorsqu'on arrive de France, déclare une voix masculine derrière mon dos.

Je tourne brusquement la tête. Un type canon s'est approché de notre table. Il est de taille moyenne, avec des cheveux sombres et bouclés, et porte un ample pantalon cargo avec une chemise rayée et un grand sac photo. Je saisis une bouffée de son enivrante eau de toilette : ce mélange intense et fumé de bois de santal et de cuir me désarçonne un peu. Euh… beaucoup, à vrai dire. J'ai les joues couvertes d'une rougeur chaude. Et je n'ai pas pris une seule goutte de vin. Mais si ce type m'en offre, j'essaierai peut-être.

— Salut, Jonathan, quel bonheur de te revoir. Jonathan est un photographe à la pige qui travaille avec nous à plusieurs projets, m'explique Maddie pendant que je garde les yeux rivés vers le beau visage.

Je suis soulagée d'entendre dire qu'il n'est pas un étudiant de Parsons. Je serais pas mal distraite s'il était dans l'un de mes cours.

— Voici Clémentine, l'une de mes étudiantes étrangères. Je lui donne des conseils sur plusieurs sujets.

Jonathan fait un sourire de plusieurs mégawatts qui accentue ses fossettes. Mon Dieu, je deviens une mare de transpiration sur ma chaise.

— Eh, enchanté.

Il dépose son sac noir et tend une main. Des tatouages parcourent son bras. Dès que sa main touche la mienne, je sens presque l'électricité courir jusqu'à mes orteils. Heureusement que je suis assise, sinon j'aurais le vertige.

— Clémentine. Quel nom magnifique !

— Merci, je réponds nonchalamment tout en repassant le compliment au moins une douzaine de fois dans ma tête.

Il passe ses doigts dans ses cheveux et se rapproche. Il sourit et je me pâme.

— Tu es française, alors ? demande-t-il.

— Tu as sûrement deviné ? demande Maddie en désignant mon ensemble. Clémentine est l'une des rares étudiantes de l'école à ne pas être habillée de noir des pieds à la tête.

— Tu as vraiment une allure européenne, dit-il en regardant ma robe.

Eh bien là, il vient de marquer des points.

— Et tu es la seule femme ici qui n'est pas rivée à son téléphone ou à sa tablette.

Il fait un signe de tête en direction du roman français qui dépasse de mon sac.

— Je suis vieux jeu dans mes habitudes de lecture, je réplique. En fait, j'ai un téléphone, mais je ne l'ai pas encore activé.

— C'est exactement ce que je veux dire, répond-il avec un sourire ironique.

— Tu ne veux pas te joindre à nous ? propose Maddie.

Franchement, je ne sais pas trop ce que j'en pense. Bon, je venais tout juste de commencer à discuter de mon blogue et de son lancement imminent, et j'espérais recueillir les commentaires de Maddie. Et avant de parler davantage à ce type, j'aimerais vérifier si j'ai quelque chose de coincé entre les dents.

— D'accord, mais seulement quelques minutes, acquiesce Jonathan en prenant la chaise d'à côté.

Une forte chaleur émane soudainement de mon plexus solaire. Est-ce qu'il m'attire vraiment à ce point ? J'essaie de maîtriser mes palpitations cardiaques. Ce n'est pas facile. Allons, Clémentine, du calme. Tu ne vas pas te faire désarçonner par le premier beau gars que tu rencontres à New York.

— Que penses-tu de ce roman ? demande-t-il. Il a eu de bonnes critiques dans le *Times*. J'ai très hâte de le lire en traduction, dit-il.

Ça me scie encore plus.

C'est une chose que de le trouver beau, mais être impressionnée par son intellect, ça, c'est inattendu. Je lui tends le roman et pendant qu'il le feuillette élégamment, je saisis une autre bouffée de son eau de toilette, et cette fois, cela fait passer tous mes sens à la vitesse supérieure. Mon cœur cogne furieusement dans ma poitrine. Mes joues prennent la couleur de ma robe. C'est gênant. J'essaie de dissimuler mon trouble, mais ça ne marche pas. Il le voit sûrement.

J'essaie de paraître calme en tendant la main vers mon verre d'eau. J'aimerais que Maddie dise quelque chose, mais elle continue de grignoter sa salade, l'air amusé. Je m'efforce de parler.

— Il est vraiment super, jusqu'ici, je parviens à dire. Les personnages sont bien développés et le cadre est l'Écosse au dix-huitième siècle. L'auteur est particulièrement habile à combiner l'histoire avec d'intrigants rebondissements. Si tu aimes le suspense et les romans historiques, je pense qu'il te plaira.

Il paraît impressionné. Je viens de marquer un point.

— J'apprécie toujours un peu de suspense, dit-il.

Il me lance un regard espiègle de côté, les yeux pétillants d'amusement. Mes entrailles fondent comme du fromage sur une pizza.

— Clémentine vient d'apprendre qu'elle recevra une bourse, annonce Maddie.

Pour une raison quelconque, ça me gêne que Maddie partage cette information. Je suis encore en train de digérer la nouvelle, j'imagine. Ça risque de m'attirer encore le genre d'attention que j'ai reçue en classe ce matin, et j'espérais éviter ça.

— Vraiment ? C'est super. Félicitations ! Un verre de vin s'impose, alors. Je commande une bouteille – c'est moi qui invite.

Mon visage vire au rouge vif. Est-ce que c'est le compliment, ou le fait que Jonathan semble s'intéresser à moi ? Il est photographe de mode et je ne ressemble en rien aux mannequins qui circulent à New York. Une fraction de seconde, je songe à mon ex et j'ai un éclair de doute et d'anxiété. Son comportement a vraiment diminué ma confiance en moi-même et j'essaie encore de me remettre de tout ça. Je repousse ces pensées pour profiter de l'instant et me détendre.

— Merci, Jonathan, c'est très généreux de ta part, répond Maddie. Clémentine, j'espère que tu en prendras une gorgée. Après tout, on porte un toast à ton succès !

— Bon, d'accord, je ne résisterai pas longtemps si vous me forcez la main, dis-je.

Jonathan se penche alors vers moi et en faisant mine de me tordre la main. Encore une fois, son ferme toucher lance des vagues d'électricité dans tout mon corps. Mes entrailles se détraquent. J'ai chaud. J'ai froid. Je vais bientôt perdre le contrôle, je crois.

Est-ce une bonne chose ?

— Alors, Clémentine, reprend Jonathan, qui semble s'amuser de me voir me tortiller sur mon siège, tu dois être vraiment brillante pour obtenir une bourse. Bravo, je suis impressionné.

Le serveur arrive avec une bouteille de rouge et Maddie s'excuse pour aller aux toilettes, me laissant seule pour écarter le tourbillon de pensées lascives qui nagent au fond de ma tête. Pas en barbotant, plutôt en 100 mètres brasse papillon de niveau olympique. Ce qui n'arrange pas les choses, c'est qu'il me frôle le bras en versant du vin dans mon verre.

— Merci. Ce n'est pas seulement une question d'intelligence, mais aussi d'avoir du cran, dis-je d'un ton neutre.

Je ne sais pas du tout d'où c'est venu, mais c'est la faute à Jake. C'est le genre de chose qu'il dirait.

Je n'ai pris que deux gorgées de vin, mais elles me sont de toute évidence montées à la tête. J'imagine mes doigts en train de parcourir l'épaisse tignasse de Jonathan, ses cheveux ébouriffés comme au saut du lit, alors qu'on est assis côte à côte en train de lire des bouquins sur le sofa de son salon. Je mets carrément la charrue avant les bœufs.

Avoir Maddie pour chaperon, lors de cet inattendu rendez-vous à table, c'est une bénédiction. Je me sens plus en confiance lorsqu'elle est là, ce qui est préférable lorsqu'on essaie de flirter avec un membre du sexe opposé. Est-ce bien ce que je suis en train de faire ? Je n'en ai plus aucune idée. Je suis nettement en train de disjoncter.

J'espère seulement que Maddie reviendra bientôt. Sans elle, je serais une flaque d'émotions confuses, ivre dès midi, en train de me bourrer de frites aux truffes. Tu vois, tout comme ma mère, quand je suis anxieuse, j'ai tendance à donner dans l'excès.

— Aimes-tu New York ? demande Jonathan avant de prendre une gorgée de vin.

— Je n'ai pas à me plaindre, dis-je d'un ton détaché.

J'essaie de cacher mes vrais sentiments sur le sujet : je veux trépigner d'excitation et crier les louanges de New York. Surtout maintenant... mais je me retiens d'avoir l'air folle.

— C'est cool, jusqu'ici. J'ai rencontré des gens fascinants et j'ai vraiment hâte de plonger dans le programme de mode. Parsons est la Mecque de ce qui m'intéresse.

— Et c'est quoi ?

— Le journalisme de mode.

— Super. Je travaille avec des tas de journalistes, surtout ceux qui couvrent la Semaine de la Mode. Je peux t'en présenter, si tu veux.

— Oh, merci. C'est très gentil. Mais je cherche à bâtir ma propre plateforme d'édition. Du moins pour l'instant.

— Tu as du cran. J'aime.

Il me fait un clin d'œil.

— Merci.

Je lève mon verre en essayant de rester calme pour ne pas trembler ni renverser quelque chose. Il me fait nettement de l'effet.

— As-tu des amis à New York ? Des gens avec qui tu sors ?

— Oui, je m'en suis fait quelques-uns, je réplique.

Ce que je veux dire, en fait, c'est que j'ai un nouvel ami, mais bon, il compte pour plusieurs.

— Je suis content de te l'entendre dire, déclare-t-il en souriant. À New York, on peut se replier dans la solitude. Alors, tu habites où ? Au dortoir de l'école ?

— Non, à Brooklyn.

— Vraiment ? Où ça ?

Je reste figée. Maddie et moi, on s'est entendues pour garder secrète notre entente sur mon installation. J'espère seulement qu'elle viendra à mon secours. Pour détourner sa question, je rejette mes cheveux en arrière et je fais signe au serveur de m'apporter un espresso. Plus de vin ; je pourrais dire des choses regrettables. Pas que j'aie besoin de cette dose supplémentaire de caféine, non plus. Je suis déjà assez surexcitée. J'essaie cette tactique de retardement, mais ça ne marche pas.

Jonathan me fixe avec un regard perplexe. J'imagine qu'il attend encore que je réponde à sa question.

— À Williamsburg, dis-je enfin sous son regard attentif. Avec des amis.

— C'est fabuleux. J'habite à Greenpoint. Je connais bien le coin. J'y ai vécu pendant deux ans.

Heureusement, le serveur et Maddie apparaissent avant qu'il pose d'autres questions.

— Si tu aimes l'espresso, il y a ce nouveau café qui vient d'ouvrir. Je pourrais t'y emmener samedi ? J'expose avec d'autres photographes au Pratt Institute, lance-t-il avec une lueur dans l'œil.

— Ça me paraît sympa, dit Maddie qui répond finalement à ma place.

Je la vois qui m'encourage. Je roule discrètement les yeux dans sa direction. J'ai envie de lui donner un léger coup de pied sous la table pour la faire s'arrêter, mais je ne peux pas me rendre aussi loin.

— Oui, c'est vrai, je finis par répondre.

Je me sens prise au piège – mais d'une bonne façon. En vérité, je brûle d'impatience d'accepter – mais je ne veux pas que le monde entier soit au courant, c'est tout.

— Bien sûr, compte sur moi.

— Merveilleux. Je vais te laisser finir le déjeuner que j'ai interrompu impoliment. Je dois partir en vitesse, mais je te vois samedi. Voici ma carte. Texte-moi ton numéro, et n'oublie pas d'activer ton téléphone, Clémentine.

Sa façon de dire mon nom m'affole le cœur.

Je le regarde se diriger vers le comptoir pour payer notre vin. Il me surprend à le fixer et m'envoie un clin d'œil. Je baisse les yeux vers mes chaussures et quand je les relève, il a disparu. Par les grandes fenêtres, je le vois marcher le long de la Treizième Rue pour retourner à l'école.

— N'est-il pas merveilleux ? demande Maddie l'entremetteuse.

— Mm-hmm, je réponds en jouant le jeu.

Elle sait qu'à Paris, les rendez-vous ne sont pas « arrangés ». Tu sors de façon relaxe avec des amis jusqu'à ce que l'un d'eux trouve le courage de te demander de sortir. De toute façon, peu importe ses intentions, je suis tout simplement ravie que Jonathan m'invite à son exposition.

— Quoi ! s'exclame Maddie en levant les mains en l'air, comme si elle revendiquait son innocence.

— Allons, ne me dis pas que ce n'était pas arrangé. Je suis beaucoup plus jeune que toi, mais je ne suis pas née hier non plus.

— Bien sûr que non. Tout ça était très spontané, dit Maddie en tendant la main vers son sac. Mais il est beau, c'est certain.

— Dis ce que tu veux, très chère et extraordinaire Maddie, vraiment, la force est avec toi. Tu m'as trouvé une bourse et l'homme de mes rêves, dis-je à la blague en posant ma main sur la sienne.

Il est encore trop tôt pour le dire, mais Jonathan me fait rêver.

Je souris. Elle rit.

— Tu as raison, c'est beaucoup pour la même journée, admet-elle en prenant son trench et en se levant. Je dois retourner au travail. J'ai un cours à donner et une consultation à préparer.

En plus d'être un superbe mentor, Maddie a un cœur en or. Je suis tellement heureuse que mon cœur pourrait exploser. Avant que je puisse exprimer mon trop-plein de gratitude, elle me dépasse en marchant vers le comptoir.

— Juste une minute.

Elle sort son portefeuille et sa carte de crédit, et j'entends la réponse du serveur.

— Non, madame. Le jeune homme a déjà réglé votre note.

Mon cœur se serre. Jonathan est un vrai gentleman.

— N'oublie pas de passer à mon bureau plus tard pour cueillir ton chèque, me rappelle Maddie en me serrant l'épaule.

Honnêtement, ça ne pourrait pas aller mieux. On quitte le bistro, et mon esprit passe à la vitesse supérieure à propos de samedi : que porter, que dire et surtout, comment un homme aussi attirant peut-il s'intéresser à une fille comme moi ?

Vivement samedi !

Chapitre sept

— Eh, Clem, j'adore ton ensemble, aujourd'hui. Impeccable, lance Jake, debout à côté de moi à la cafétéria de l'école.

On fait la queue pour notre petit déjeuner.

— Merci !

Pour ma deuxième journée en classe, je porte un jean palazzo et une veste rayée que j'ai secrètement « empruntée » à la garde-robe de ma mère (neuve avec les étiquettes, jamais portée, comme on dit sur eBay), avec un sac à main rose pâle et des sneakers blancs. J'arbore aussi un sourire niais. Jake, par contre, s'est modéré d'un cran. Il porte un jean gris et un sweatshirt à capuchon gris portant les mots *Justin 4 Ever* sur la poitrine. Il me surprend en train de le regarder fixement.

— J'ai fait un effort aujourd'hui, juste pour toi. Mon uniforme de cours standard est un *one piece*, qu'il dit.

Je ne sais pas trop s'il est sérieux, mais je ricane en imaginant Jake dans un vêtement d'une pièce rose licorne.

— C'est un beau sweater, je lui réplique.

— Oh, merci. C'est du Supreme, le label de vêtements de sport. Tu le connais, hein ? qu'il demande, l'air inquiet de mon manque potentiel d'informations sur la mode actuelle.

Même si je n'en avais jamais entendu parler, je le nierais : j'ai une réputation à soutenir. Je connais la marque et franchement, je ne peux pas croire que quelqu'un puisse dépenser une somme folle pour un grand sweat mou avec une marque qui saute aux yeux. Mais je garde ça pour moi. Il a probablement mis de côté plusieurs chèques de paie durement gagnés pour l'acheter.

— Mm-hmm. Oui, bien sûr.

— Alors, vas-tu me dire pourquoi tu souris comme une folle ?

Il voit que je rêvasse, j'imagine. Je ne sais pas trop quoi répondre. Devrais-je lui parler de ma rencontre surprise au déjeuner avec Jonathan, hier ? Et de la bourse inattendue ?

Hier, c'était de loin la meilleure journée de ma vie. J'ai rencontré Jake, puis Jonathan, puis j'ai récupéré mon chèque au bureau de Maddie. J'ai marché (euh, en fait, j'ai couru) jusqu'à la plus proche boutique Apple pour activer mon nouveau téléphone. L'argent de la bourse à la main, je me suis également offert une paire de bottes chocolat à porter à mon rendez-vous. Je ne connais pas encore assez bien Jake pour tout lui dire. Mais peut-être juste un peu.

Jake glisse son plateau devant les employés de la cafétéria, attendant que soit servi son petit déjeuner chaud. Il semble avoir commandé pour la moitié de la classe.

— Eh bien, je murmure en me penchant, j'ai… rencontré quelqu'un.

Je déteste l'avouer, mais au lieu de faire mes devoirs, j'ai passé la majeure partie de la soirée d'hier à songer à mon incroyable chance. La bourse et le déjeuner – c'était trop pour une seule journée.

— Quoiii ? C'est arrivé quand ? Pendant ton sommeil ? demande Jake en sourcillant. Ne prends pas ça mal, mon ange, mais c'est mauvais signe. Tu sais, la charge de travail est lourde ici. Ça va peut-être nuire à ta concentration, à tes résultats, et fort probablement à ton avenir, ajoute-t-il d'un ton sinistre, l'air un peu névrosé.

Je secoue la tête en riant de sa remarque extravagante.

— Je pense que tu vas trop loin. On a juste partagé un repas.

— Vous avez déjà partagé un repas ? Pour vrai ? À New York, c'est sérieux. La plupart des gens ne vont pas plus loin que chez Joe Coffee, dit-il en faisant référence à un petit café de la Treizième Rue. Alors, à quand le mariage ?

J'ignore cette question ridicule.

— Écoute, Clem, je ne peux pas te laisser fréquenter quelqu'un si tôt au cours de l'année scolaire. Je suis ici pour m'occuper de tes intérêts, et rencontrer des hommes n'en fait pas partie, précise-t-il d'un ton catégorique en prenant sa tasse.

— Tu ne veux pas connaître les détails ? Tu es censé être mon ami, tu te rappelles ?

Il pousse un soupir las.

— Très bien, ma chérie, vas-y. Dis-moi tout.

Je sais qu'il ne fait que me taquiner ; il meurt d'envie d'entendre les détails. Avant que je puisse prononcer un autre mot, il lève la paume de sa main.

— Attends ! Laisse-moi deviner : il est agréable à l'œil, ressemble à Adam Levine avec ses tatouages, porte des chemises à carreaux, se passionne pour la musique et les arts...

Sa voix s'estompe lorsque son repas arrive.

Je reste plantée devant Jake, les mains sur mes hanches. Il a tout pigé.

— Comment as-tu deviné ?

— Oh, chérie, je suis désolé, mais c'était tellement prévisible. Tu es comme un livre ouvert. Comprends-moi bien, je te trouve charmante et tout – mais j'ai vu ça venir à des kilomètres.

— Tu veux me dire que je manque de goût ? Ou d'originalité ?

Franchement, est-ce qu'il ne voit pas ma veste Claude Montana des années 80 ?

— Non, ce n'est pas ce que j'ai dit. Seulement, j'ai tout de suite su que tu serais attirée vers un certain type. Un type merveilleux, détrompe-toi !

— Bon, alors, je dois l'avouer : tu as raison.

— Bien sûr, dit-il avec un sourire triomphant. Alors, raconte.

— Il est photographe à la pige. Il aime les romans, le café et le vin rouge. C'est tout ce que je sais de lui, jusqu'ici. Il m'emmène voir son exposition de photos samedi, à Brooklyn. Je suis vraiment emballée.

— Un photographe ? Allons, Clem, ne sois pas naïve. C'est bien connu : ce sont des coureurs de mannequins qui ne savent pas garder leur pantalon, m'avertit Jake en remuant son lait dans son café. Tu n'en as pas entendu parler ?

J'ai l'estomac qui chavire. Mon nouvel ami me fait la morale avant même que j'aie eu la chance de réfléchir à tout ça moi-même. Un coureur de mannequins? C'est vrai, certains photographes ont mauvaise réputation. Mais Jonathan a l'air d'un tel gentleman… Je ne veux surtout pas que Jake me plonge dans le doute. J'ai envie de répondre que l'assiettée de Jake est bien plus nocive pour lui que ce rendez-vous informel avec un photographe ne l'est pour moi, mais je me mords la langue.

— Qu'est-ce que tu sais d'autre sur ce gars-là? demande Jake comme le grand frère qu'il essaie d'être.

Je secoue la tête. En vérité, à part le travail de photographe de Jonathan pour Parsons et ses liens avec Maddie, je n'en sais pas tellement sur lui.

Jake a peut-être raison: j'aurais pu faire de la recherche avant d'accepter l'invitation de Jonathan. Mais Maddie n'avait que du bien à dire sur son compte. Aller dans un café et une galerie avec lui, ça m'a paru sécurisant.

— C'est juste un petit flirt, je réponds de façon défensive. Rien d'autre. Mais tu as raison, je dois me concentrer sur l'école. Merci de me le rappeler. Mon père sera enchanté de savoir que je t'ai rencontré, toi.

Je lui fais une amicale petite poussée sur le coude.

— Tu peux toujours compter sur moi pour t'aider à rester tranquille, ma chouchoute. J'adorerais rencontrer ton père. J'ai l'impression que lui et moi, on s'entendrait super bien.

Je crache presque mon thé en toussant. Il ne sait pas du tout qui est mon père. Mon père est loin d'être détendu et cool. Au contraire: il est tendu, conservateur, et parfois un peu snob. Pas tout à fait du genre à vouloir partager une pointe de pizza à 99 cents avec un inconnu à un coin de rue de New York.

Je le regarde attaquer son bacon, ses œufs et sa saucisse, mais je suis distraite. J'étais tellement emballée à l'idée de voir Jonathan samedi ; maintenant, je suis surtout nerveuse. Je devrai repérer les signes troublants.

— Ça te dérange si j'en prends une bouchée ? je demande en pointant du doigt son muffin aux brisures de chocolat.

J'ai appris que les hommes vont et viennent, mais que le chocolat ne déçoit jamais.

Les pépites fondent dans ma bouche et je me sens mille fois mieux.

— Alors, maintenant qu'on a examiné ta situation avec le garçon, j'ai besoin de ton aide, Clem.

— Oh ? Pourquoi ?

— Du shopping pour le cours de création de Maddie. Je dois aller chercher des fournitures, entre autres du tissu pour mon premier devoir. Es-tu libre plus tard ? Vers midi ?

— Là, tu parles. Absolument.

— Je te rencontre à midi dans la Cinquième Avenue. Je règle quelque chose et je pars. Je te vois plus tard, ma précieuse gabardine.

Je lui retourne son sourire et son clin d'œil. Les photographes aiment peut-être courir les mannequins, mais plus que tout, j'adore les habiller et les orner. Et aller acheter du tissu est l'une de mes façons d'y arriver.

Et ça fait mon bonheur.

Chapitre huit

— Salut, ma chérie! chantonne Jake dès que nous arrivons chez Ankara Designs, un bazar de tissus de la Trente-neuvième Rue.

Assise derrière le comptoir, une jeune femme aux cheveux bleus fait un signe de la main à Jake. Il lui envoie une bise. De toute évidence, il vient souvent.

Je regarde autour, et la boutique me donne l'impression d'être chez moi. C'est rempli de rouleaux de tissu de toutes les couleurs et de tous les styles, y compris des cotons aux jolies couleurs bonbon, des denims décontractés, des soies somptueuses, des lainages, d'incroyables tissus écossais, des polyesters et des tonnes de dentelles. Il y a des boutons de tous les styles et de toutes les couleurs, des montagnes de fil, de fermetures éclair, des patrons et toutes sortes d'accessoires délicieux. Pour moi, c'est à la fois Disneyland, le Dylan's Candy Bar et les Studios MGM. Je pourrais passer des heures ici.

— Cet endroit est délirant! je m'exclame en inspirant l'odeur de tissus frais.

Certains auront peut-être l'impression de sentir la poussière et la moisissure, mais pour moi, ce parfum fait chanter mon cœur. Je deviens un limier à la recherche d'une nouvelle proie, sauf que je chasse le shantoung.

Le lieu est bondé de gens de tous les âges, de tous les styles et de toutes les ethnies. Je reconnais quelques étudiants de ma classe à Parsons.

— Au cas où tu te poserais la question, j'habite pratiquement ici. C'est mon deuxième endroit préféré à New York.

— Et ton premier, c'est quoi ?

— Ah, c'est un secret, mais si tu m'aides à trouver ce que je cherche, tu vas peut-être l'apprendre.

Je fouille des yeux les masses de tissus. À la différence de la plupart des boutiques de tissus que j'ai vues, les rouleaux ici sont organisés verticalement : ainsi, il est facile de chercher des motifs. Si j'étais Jake, je les voudrais tous.

— Tellement de styles, si peu d'argent… chantonne Jake. Comment puis-je choisiiiiir ?

Il ondule des hanches derrière un râtelier de velours tout en sifflant l'air de *So Many Men, So Little Time*.

Il me fait rire.

— Tu as besoin de quoi ? Cherches-tu quelque chose de précis ?

Je tiens à l'aider.

— Maddie nous a demandé de créer un ensemble avec des matériaux non conventionnels.

Hum, intéressant concept.

— Et ça ? dis-je en pointant du doigt un rouleau de lamé or.

— Nan, chérie. Ça fait trop *Golden Girls circa* 1985.

— Qu'est-ce que tu veux ?

— Il me faut quelque chose d'un peu bizarre, mais pas trop. Génial à mort, mais poli. Tu vois ce que je veux dire ?

— Très bien, laisse-moi jeter un coup d'œil et voir ce que je peux trouver.

Je ne suis pas absolument sûre de comprendre ce qu'il cherche, mais j'accepte le défi.

Je me rends à l'étage et laisse courir mon imagination. J'imagine des robes soleil échancrées, faites de fleurs de plastique ; des shorts et des hauts qui dénudent le ventre, tissés de lacets argentés et dorés ; une robe cocktail composée de plumes et de minuscules coquillages. C'est ce qui se passe quand je laisse aller ma créativité. J'en apprécie chaque seconde.

Quelque chose accroche mon regard. C'est un rouleau de coton *tie-dye* rose et blanc. De plus, le tissu est plastifié ; ça s'appelle de la toile cirée. Le rose vif me rappelle les pique-niques d'été près de la piscine, le *gelato* et les vacances de mon enfance. La vibration est heureuse et douce. Je saisis le rouleau et retourne en bas, où Jake inspecte de la dentelle argentée.

— Et ça ? On dirait un camion à crème glacée psychédélique en folie. Ou Lilly Pulitzer sur l'acide.

— Wow, tu t'es dépassée, Clem. J'adore ! Un croisement de Miami et de Cape Cod.

— Tu aimes ? je demande, étonnée.

Je suis contente que mes instincts soient justes. Il me comprend.

— Ouais, sur toute la ligne. Je pourrais tailler un pantalon palazzo avec un haut moulant et sexy. Je pourrais même accessoiriser le look avec une ombrelle de plage et d'énormes verres fumés rétro blancs.

Je vois que l'hémisphère droit de son cerveau est aussi stimulé que le mien.

— Tu l'as. C'est quelque chose que j'aimerais porter, dis-je.

— Ô ma divine Clémentine… qu'il chante, puis il se rapproche pour me prendre dans ses bras et il nous fait tourner.

Et là, au beau milieu du Garment District de New York, notre amitié est officiellement scellée.

Je suis tellement excitée, c'est incroyable. New York m'envoie au septième ciel. Hélas, quelque chose fait descendre ma joie d'un cran. Je sens que quelqu'un me fixe, comme si son regard furieux me perçait le dos. La vibration est lourde et dérangeante. Je me retourne, et voilà Ellie qui nous envoie de nouveau ce regard bizarre. Je me demande pourquoi. Je hoche la tête et lui fais un sourire pincé. Je ne vais pas me laisser décourager par une cinglée avec une mauvaise énergie et des vibrations malsaines. J'ai tellement travaillé pour me rendre jusqu'ici.

Je décide de l'ignorer, et je suis Jake alors qu'il commande son tissu. Il passe encore plusieurs minutes à palper le tissu, et lorsqu'il est certain de son coup, il en commande plusieurs mètres. L'employée du magasin le lui débite généreusement, ce qui met mon ami en liesse.

— J'adore ce commerce aux coupes généreuses, pas toi, Clem ? qu'il dit en battant des paupières en direction de la femme qui nous sert.

Quel charmeur ! J'imagine que c'est ainsi qu'il obtient un aussi bon service.

Après avoir payé sa commande, il me fixe avec un sourire d'enfant.

— Il faut qu'on célèbre cette trouvaille fabuleuse avec quelque chose de sucré, ma douce. Suis-moi, c'est moi qui te l'offre !

Il hèle un taxi à la sortie du magasin.

— On va où ?

— À mon endroit préféré à New York. Il porte le nom de l'art de faire des découvertes heureuses. Tu sais, comme le fait de te rencontrer et de trouver mon tissu génial.

— Hein ?

— Serendipity 3. C'est un glacier pour adultes. En as-tu entendu parler ? Il y a eu un film réalisé en son honneur.

Je secoue la tête.

— Ils servent des trucs comme des purées d'abricot, ou de gros burgers, d'imposantes coupes glacées. Mais le chocolat chaud glacé va te faire fondre le cœur.

J'enroule mon châle de soie autour de mes épaules et j'ai un sourire jusqu'aux oreilles en me glissant sur la banquette arrière du taxi. Je confirme que grâce à mon nouvel ami, mon cœur a déjà fondu plusieurs fois.

Chapitre neuf

— On a encore fait un malheur, dit Jake dès que je m'assois à côté de lui en classe.

Je me suis pointée tôt pour qu'on puisse se remettre au courant. Depuis notre expédition en boutique d'hier midi, nous voilà inséparables.

— Tu parles! Avec ce tissu formidable, c'est un coup sûr, dis-je avec un clin d'œil.

— Tout ça grâce à toi, ma belle. J'ai tellement hâte de m'en servir. Ce soir après le travail, j'allume la machine à coudre de ma mère, et je commence mon chef-d'œuvre rose indien.

— Cool. J'ai tellement hâte de voir. Encore merci pour le lunch. Ce chocolat chaud était un péché.

— Mais il valait complètement la peine, non? Les courses, c'est tellement éprouvant, parfois. On brûle des tonnes de calories, ironise-t-il en jouant des biceps.

— Bof. Tu me plais exactement comme tu es, athlète ou non.

Il sourit. Mon commentaire le fait rougir.

— Maintenant qu'on a travaillé à l'un de mes projets, il est temps de travailler au tien. Je ne veux pas te bousculer, mais as-tu songé à Bonjour Girl? demande Jake, au moment même où passe Stella, l'ex-étudiante en droit.

— Qu'est-ce que c'est, Bonjour Girl ? s'informe-t-elle. Ça me dit quelque chose. C'est une nouvelle gamme française de vêtements ?

Je secoue la tête et lance un coup d'œil à Jake comme pour dire que le sujet est interdit. Même si Stella paraît gentille, je ne veux pas qu'elle sache. Je suis encore en train de peaufiner les détails dans ma tête.

— Oh, ce n'est rien. Juste un magazine français pour lequel j'ai écrit des articles il y a longtemps. Il a fermé boutique depuis, dis-je en essayant de changer de sujet.

— Oh, Clémentine, ne sois pas si modeste, dit Stella d'un ton jovial. Tu as écrit pour un magazine de mode français ? C'est formidable. Tu devrais mettre tout le monde au courant !

Quelques têtes se tournent vers nous. Ah non, encore ? !

— Merci du compliment.

J'essaie de la repousser avec politesse. Comme elle sent que je n'ai pas envie de parler, elle retourne à son siège.

— Oups. Désolé, dit Jake, l'air gêné. Je n'aurais pas dû le mentionner à haute voix.

— T'en fais pas. C'est bon.

— Alors, à quand ton lancement ? murmure Jake en prenant une gorgée de café de sa tasse « *Namastay on the Couch* ».

— C'est bizarre que tu en parles. J'ai commencé à dresser un plan d'affaires et à créer une maquette du site, je chuchote.

Jake est pris par surprise. Je ne lui parle pas de la bourse qui m'a permis de me payer un concepteur graphique. Je ne veux pas avoir l'air de me vanter : je le ferai le moment venu.

— Non ! Vraiment ? Entre rencontrer des hommes à faire tomber, te payer la tête de tes détracteurs et avoir une fabuleuse famille, tu es bien partie, ma chère. As-tu des pouvoirs secrets dont je devrais être au courant ? Et s'il te plaît, veux-tu être mon agente ? J'aurais besoin d'un bon coup de pied au derrière.

— Bien sûr. J'accepterai tes réparties amusantes comme salaire.

Il sourit et retourne à son café.

— C'est bien, ma belle. Parce que je ne roule pas vraiment sur l'or. Les frais de scolarité de Parsons me tuent.

Mon visage s'allonge et soudain, je me sens mal de recevoir l'argent de la bourse. Jake le mérite autant que moi. Et s'il est mon meilleur ami, je devrais lui en parler. Je me sens également déchirée entre mon pacte avec Maddie et ma loyauté envers Jake. Je pourrais peut-être convaincre Maddie que Jake fait vraiment partie de la famille et que le secret de notre lien familial est bien gardé avec lui ? En attendant, je n'en dirai rien, mais c'est difficile, et je me sens coupable.

— C'est vraiment cher, l'école Parsons. Et le coût de la vie à New York me ruine. Moi aussi, j'ai un petit budget, dis-je pour témoigner de la sympathie.

Et c'est vrai, j'ai besoin de surveiller mes dépenses. Avec l'allocation mensuelle de mes parents, je me débrouille, mais c'est tout juste. Jusqu'ici, je n'ai pas eu à trouver d'emploi, mais on verra bien.

Jake garde un silence inhabituel. Comme l'argent est vraiment une question délicate pour lui, je décide de changer de sujet pour alléger l'ambiance.

— Et ta collection secrète ? je lui demande.

— J'y travaille vraiment, murmure Jake en levant les sourcils puis en s'essuyant les lèvres avec une serviette de papier.

— Ah oui ? Quand ?

— Le soir après le travail, et les week-ends. J'ai commencé il y a quelques semaines, avant la rentrée. Je ne dors pas beaucoup.

Comme pour appuyer ses dires, il prend une gorgée de café.

— Qu'as-tu fait, jusqu'ici ?

— J'ai rassemblé des coupures de magazines, des patrons, des entrevues et des photos sur Instagram reliés à mon concept. Des trucs inspirants.

— Fantastique. Je me sens déjà inspirée.

— Après m'être fait la main en création de mode, ici à Parsons, et avoir été stagiaire chez un créateur d'expérience, je serai prêt à me lancer.

— Je sais que tes talents de créateur sont déjà forts. Assume, mon ami.

— D'accord, puisque tu le dis, répond-il pensivement. J'ai un aveu à te faire.

Il se penche vers moi et baisse la voix.

— J'ai une nouvelle muse. Elle me garde motivé jusque tard le soir et elle éclaire mon monde. J'ai dessiné des esquisses comme un malade.

Oooh, est-ce qu'il parle de moi? Mon Dieu, je suis tellement flattée. J'ai toujours voulu être la muse de quelqu'un, mais je ne me suis jamais vraiment sentie captivante. Je ne sais pas trop quoi dire.

— Oui, je l'ai rencontrée à un cocktail, samedi, et c'est la femme la plus délicieuse du monde… après toi, bien sûr, précise-t-il.

Je suis tellement idiote. Pourquoi ai-je sauté aux conclusions? Et pourquoi est-ce que je me sens si jalouse de cette personne?

— Qui est-elle? je demande d'une voix faussement guillerette.

— Une blogueuse de mode russe qui habite à New York. Elle est attirante et fascinante; tu l'aimerais vraiment, Clem. C'est la muse parfaite pour ma collection.

— J'en suis sûre, je dis en essayant de montrer un peu d'enthousiasme.

— Tu vois, elle est paralysée à partir de la taille. Un terrible accident de ski durant son adolescence. Mais elle a une attitude incroyablement positive et un amour de la vie. Elle est géniale.

— Wow! je m'exclame, me sentant soudain insécure.

— Elle a une foule d'abonnés; elle est pleine d'esprit, chic et adorable, ajoute-t-il, la voix remplie d'admiration.

— J'imagine que les semblables s'attirent. Quel est son nom?

— Adelina, qu'il roucoule. J'ai l'intention de l'utiliser comme mannequin.

Il sort son téléphone pour me montrer son profil Instagram. Elle ressemble à une Grace Kelly moderne.

Il y a des photos d'elle avec un manteau rétro, de couleur vive, l'air d'une vedette de cinéma des années 50. Sur une photo, elle a les lèvres rouges et porte une écharpe à paillettes de couleur assortie. Sur une autre, elle porte une robe pourpre et un sac Kelly de Hermès, rétro, tout comme celui que portait Cécile. Elle a aussi les plus cool lunettes papillon rétro que j'aie jamais vues.

— Tu as raison. Elle est vraiment parfaite, je dis, en me mordillant la lèvre inférieure.

Pourquoi est-ce que je me sens si peu sûre de moi, soudain ? Pourquoi suis-je en train d'envier quelqu'un que je n'ai jamais rencontré ? J'essaie de me défaire de ce sentiment, mais ce n'est pas facile. Est-ce que je m'attendais à une amitié exclusive avec Jake ? Ça paraît bizarre à avouer, mais j'imagine que oui.

— J'ai l'intention de créer des vêtements pour les gens en fauteuil roulant, comme elle. Il est grand temps que le monde de la mode accorde de l'attention aux gens qui ont des incapacités physiques.

Il est devenu mélancolique et je sais qu'il songe à sa mère.

— Au passage, j'ai l'intention de rendre Adelina célèbre, aussi, m'annonce-t-il d'un air déterminé.

— Je n'en doute pas une seconde.

Je suis impressionnée par l'idée de Jake et par sa conscience. Combien d'autres jeunes créateurs se soucient de représenter la diversité physique ?

— Tes vêtements auront quel genre de spécifications ? je demande, curieuse.

Je vois que Jake est content de ma question.

— Eh bien, par exemple, les pantalons sont habituellement trop courts pour les gens en fauteuil roulant. Il faut aussi enlever l'excès de tissu dans la région de l'entrejambe, dit-il en désignant la fourche de son jean ample à taille basse. Et ajouter plus d'espace pour les épaules et les bras, pour faciliter le mouvement.

Il a fait ses devoirs, c'est évident.

— C'est super intéressant, je dis, l'esprit en vrille. Je me promets d'y revenir. C'est tout à fait le genre de chose dont j'ai l'intention de parler sur mon blogue. Je suis sûre que tu pourras trouver des commanditaires pour ton projet.

Je parie que des tas de sociétés et d'organisations seraient heureuses de devenir ses partenaires.

— Mm-hmm. Mais je ne suis pas encore prêt à me lancer. Loin de là, en fait. J'ai besoin d'économiser un peu et d'acquérir de l'expérience en administration.

Ça me serre de nouveau l'estomac. Je sais que Jake pourrait se servir de ma bourse pour lancer sa collection.

— Je comprends, je dis en tortillant une mèche de cheveux et en tentant de trouver des idées.

Je pourrais peut-être partager une partie de mon argent? Ou investir dans son concept?

— Il est important pour moi de ne pas me tromper, me confie Jake en baissant la voix et en observant tous les étudiants qui nous entourent, comme pour jauger la concurrence. C'est un marché difficile, ma chère. Je dois définir mon plan avec soin.

Il me voit froncer les sourcils et se penche tout de suite vers moi.

—Je suis désolé, Clem. Je ne veux pas monopoliser la conversation avec mes plans d'affaires.

—Non, non, Jake, s'il te plaît, ne t'excuse pas. Je trouve ton concept incroyable. J'essaie juste de trouver des façons de t'aider.

Il sourit, révélant ses fossettes et l'écart entre ses dents.

—Ah, merci, chérie. Je suis content d'avoir une amie au grand cœur.

Aïe.

—Sais-tu que l'école Parsons offre des subventions et des bourses ? La liste est disponible sur le site Web de l'école. Je parie que tu peux en trouver une pour t'aider dans ton projet, dis-je en essayant d'être utile sans trop en révéler. Je pense qu'il y a même une bourse d'innovation sociale. Tu devrais vérifier.

La vérité, c'est que je l'ai découvert en allant chercher mon chèque aux bureaux de l'administration, hier. Il a les yeux agrandis par l'enthousiasme.

—Vraiment ? Mon Dieu, Clémentine, je t'ai trouvée extraordinaire quand j'ai fait ta connaissance, mais là, je suis convaincu qu'il doit manquer un ange au ciel…

Il se lève et fait une charmante danse du postérieur, comme Cameron Diaz dans ce vieux film, *Charlie's Angels*. Ses mouvements hilarants font rire les étudiants de notre classe. Quelques-uns sortent même leur téléphone pour le filmer.

J'espère seulement que Jake rira le dernier et trouvera du financement. Il le mérite entièrement.

Et moi, je le mérite vraiment ?

Chapitre dix

Après avoir consulté mon nouveau téléphone pour la énième fois afin de m'assurer qu'il est vraiment activé, et après avoir rêvassé à Jonathan pendant la plus grande partie du cours, je décide qu'il est temps de foncer. Après tout, l'argent de la bourse est à la fois un honneur et un investissement dans mon avenir, et je ne vais pas le laisser se perdre. Je sais que la plupart des étudiants meurent d'envie d'en avoir une, y compris mon ami Monsieur J.

Entendre parler du projet de Jake et de sa nouvelle muse a déclenché mon esprit de compétition. Quand tes amis renforcent ta motivation, ça s'appelle une saine concurrence.

Après le cours, je me rends avec mon ordinateur portable à la bibliothèque pour y faire de la recherche.

Sur quoi ? J'étudie d'autres blogueurs. Je cherche de l'inspiration et je ne partirai pas avant d'avoir trouvé une forte signature visuelle. J'ai dit à mon concepteur graphique que je l'aurai rapidement pour qu'il puisse terminer mon site Web. Je suis également curieuse de trouver comment certains blogueurs populaires font ce qui leur plaît : quelle poussière les anges saupoudrent-ils sur leur présence en ligne pour qu'ils se retrouvent dans le peloton de tête ? Je veux comprendre comment ils écrivent et quels genres de contenu et d'images les rapprochent le plus de leurs lecteurs.

Je caracole d'un blogue à l'autre, je prends tout plein de notes, je compare des styles, des conceptions graphiques, des biographies et des liens externes. Je suis en transe devant ce monde numérique de rêve qui se déploie devant mes yeux sous la forme d'innombrables images et vidéos – des pages et des pages de beauté et de style en ligne. Ces blogueurs sont eux-mêmes devenus des super vedettes, attirant l'attention des médias du monde entier. Je veux en faire autant. Je sais que j'en suis capable.

Ensuite, je passe du temps à examiner leurs impressionnants comptes de réseaux sociaux. Toutes les images saisissantes prises sur des plages exotiques et dans d'autres fabuleux endroits du monde me coupent le souffle, à moi aussi. Et les selfies – mon Dieu, les *incroyables* selfies – donnent l'impression que tout ça est facile. Mais je sais que non.

Je me demande combien de temps elles passent pour se bichonner avant de prendre ces photos? Et combien de photos elles prennent avant de capter l'image parfaite? Et surtout, comment elles peuvent se permettre un mode de vie aussi incroyable? Beaucoup de ces filles ont des garde-robes plus impressionnantes que celles de grands éditeurs de mode et de célébrités de Hollywood!

Je ne suis pas naïve – je sais qu'un grand nombre de ces images sont retouchées avec Photoshop. Je suis consciente, aussi, que la plupart des blogueurs de mode reçoivent des cadeaux et se font payer pour leurs publications – en argent, en vêtements, en maquillage et en frais de voyage.

Beaucoup d'entre eux négligent de dire que leurs publications sont commanditées, ce qui est absolument choquant. Je sais aussi à quel point il est facile de manipuler une image pour donner l'impression d'avoir une vie fabuleuse alors que la réalité est tout autre.

J'étais vraiment impressionnée lorsque Essena O'Neill, la sensation australienne d'Instagram, a critiqué sa propre vie « bidon » sur Instagram. L'audacieuse adolescente, qui avait plus d'un demi-million d'abonnés, a soudainement décroché après avoir décrit Instagram comme « une perfection artificielle destinée à attirer l'attention », ce qui lui a attiré des louanges, mais aussi des critiques du monde entier. Des gens ne la trouvaient pas authentique. Le monde des réseaux sociaux peut être tellement cruel. Certaines personnes ont cru que sa démission était fausse quand c'est justement ce qu'elle dénonçait !

Je ne me suis jamais intéressée à Essena O'Neill, mais j'admire sa bravoure. Elle a dit : « Les réseaux sociaux ne sont pas authentiques – alors, s'il vous plaît, cessez de me vouer un culte. »

Ma réaction : je ne la vénérais pas avant, mais maintenant, si.

En définitive, mon but à moi est d'inspirer, d'enseigner et de mettre à l'aise les jeunes femmes. Pour faire ressortir mon blogue, je songe à partager l'imagerie créative avec pertinence : j'ajouterai peut-être même de la poésie et des entrevues avec des leaders de l'industrie de la mode.

Mais plus que tout, en plus d'écrire sur la diversité, je veux partager ma passion pour les tissus originaux, les robes rétro et les créations colorées et audacieuses ; promouvoir des créateurs montants de mode écologique ; tout cela d'une nouvelle façon, en collaboration avec des artistes de talent. Par-dessus tout, je veux faire la fierté de Cécile.

Après avoir écumé une douzaine de blogues, je décide de choisir des couleurs et des éléments graphiques. Je penche vers un rosé et un design moderne accentué par des fleurs rétro. Pendant quelques minutes, je joue avec de grosses roses noires sur une toile vide lorsque, du coin de l'œil, j'aperçois Ellie qui entre dans la bibliothèque. Elle est avec un groupe d'étudiantes de notre classe. Sans surprise, elles portent toutes du noir et du gris. Ma veste de couleur vive fait de moi une cible facile pour leurs petits sourires narquois et leurs regards condescendants. Je les ignore et retourne au Web. Quelques secondes plus tard, je reçois une petite tape sur l'épaule. Pour une raison quelconque, je m'y attendais un peu.

— Eh, tu travailles à quoi, là ? demande Ellie en planant au-dessus de mon épaule.

Je ferme rapidement toutes mes fenêtres. Je ne veux pas lui livrer mes plans ni lui donner d'idées.

— Rien. Je surfe sur le Web, c'est tout.

Je tends le cou pour la regarder. Elle paraît étonnamment féminine aujourd'hui, avec de l'ombre à paupières violette et pourpre, et du khôl noir. Ce n'est pas quelque chose que je porterais – le pourpre est incompatible avec ma teinte –, mais ça lui va bien. Sans pour autant la faire paraître moins hostile.

— On dirait que tu as un projet secret, quelque chose comme ça, qu'elle murmure, en me lançant un regard dur, les bras croisés.

— Comme je l'ai dit, ce n'est rien. J'aime lire les blogues de mode, c'est tout.

— Vraiment? Mon petit doigt me dit que tu travailles à un projet qui implique Cécile.

Elle soulève un sourcil bien dessiné et ses yeux me transpercent comme deux rayons laser.

Il faut que cette conversation finisse; Ellie me donne froid dans le dos. Il n'est pas facile de garder mon sang-froid sous un regard aussi insistant, mais je le soutiens jusqu'à ce qu'elle finisse par reculer. Ça me rappelle une scène, sur la chaîne National Geographic, d'une femme qui interagissait avec un groupe de guépards sauvages. Dès qu'elle s'est levée et les a regardés directement, ils se sont enfuis.

Elle s'éloigne, l'air étrangement vexé, tout en marmonnant quelque chose (probablement une vacherie) à voix basse. J'espère seulement qu'elle n'a pas vu mon concept de blogue. J'aurais dû réagir plus rapidement en la voyant arriver. En plus d'affronter la concurrence sur le Web, je dois me méfier des requins de l'école. J'ai entendu des histoires. Le portfolio de création d'une étudiante a été volé par une autre étudiante sans scrupules, qui l'a joint à une demande de subvention. C'est elle qui a obtenu l'emploi au lieu de la créatrice véritable, ce qui a créé un scandale à l'école. Je fais de mon mieux pour écarter cette histoire de mon esprit.

Après avoir rouvert mon ordinateur portable, je vois Stella qui vient vers moi d'un pas nonchalant avec un sourire chaleureux et bienveillant. Quel contraste!

— Bonjour, Clémentine, c'est si bon de te revoir. Comment vas-tu?

— Très bien. J'ai rencontré des tas de gens intéressants, et l'école est fabuleuse. Je suis déjà plongée à fond dans la recherche.

— Vraiment ? Si tôt ? demande-t-elle en me regardant d'un air interrogateur. Dans quel but ?

Elle baisse les yeux vers mon ordinateur et remarque les éléments graphiques que j'ai choisis pour mon blogue. Elle hoche la tête d'un air approbateur en direction de ma page. Frustrée, je serre les dents. Pourquoi tout le monde s'intéresse-t-il à ce que je fais ? Mais je ne suis pas inquiète à propos de Stella. C'est une ancienne étudiante en droit, après tout. Elle doit avoir un bon code d'éthique.

— Cette semaine, je reste tranquille et je travaille à mes projets personnels, déclare-t-elle. Je crois qu'on sera bientôt inondés de travaux en classe. Aimerais-tu prendre un café avec moi, plus tard ? Je rencontre des amies à la cafétéria, en bas.

J'hésite. Pour une raison quelconque, l'invitation semble manquer de sincérité. On dirait. Mais je me dis que c'est encore ma paranoïa ; tout le monde n'est pas aussi sponta-nément authentique que Jake.

— Bien sûr, pourquoi pas ? J'y serai, dis-je, et je lui envoie un signe de la main alors qu'elle s'éloigne.

Je suis reconnaissante de voir qu'il y a des gens sympas.

Je secoue la tête en direction d'Ellie, qui continue de me regarder, et je soupire en me murmurant quelque chose que dirait Jake : « T'en fais pas, Clem. Tu tiens le bon bout. »

Chapitre onze

— Alors, c'est quoi tes grands projets ? Tu veux être créatrice ? je demande à Stella en prenant le thé avec elle, cet après-midi-là.

Elle est assise avec son entourage. Ma question m'attire les regards étranges de ses amies, et je lève les épaules en me demandant pourquoi elles en font tout un plat.

— Elles rient parce que je suis déjà créatrice, dit Stella avec assurance et en tapotant la table de ses ongles rouges.

— Ah, vraiment ?

Je me sens bête de ne pas être au courant. Est-ce qu'elle est stagiaire dans une maison célèbre ?

— Désolée, je ne savais pas. Je suis d'un autre continent, tu te rappelles ?

Elle roule des yeux.

— N'importe quoi. Eh bien, mes créations ont été présentées dans tous les grands magazines pour ados, mais ce n'est rien, vraiment, m'informe-t-elle avec un air de fausse modestie.

— Wow, c'est incroyable ! Qu'est-ce que tu fais ? je demande.

— Je crée des autocollants décoratifs. Comme ceux-ci.

Elle sort son téléphone ; son étui est couvert d'auto-collants d'étoiles, de soleils, d'émoticônes, de licornes, de tasses à café, de fleurs et de minuscules avocats. J'aime vraiment ; l'allure est drôle et ludique.

Je m'aperçois enfin que toutes ses amies ont des pièces adhésives à leurs sacs à main et leurs baskets. J'aurais dû m'en rendre compte plus tôt.

— Bravo. Tu as tellement d'imagination !

Elle baisse les yeux sur sa tasse de café. J'espère n'avoir pas fait de gaffe.

— Depuis combien de temps fais-tu ça ? je demande.

— Presque un an. Le concept a vraiment décollé.

— Tu es une inspiration pour nous tous. Je vais en parler à Jake. Il sera impressionné.

— Ouais, bon, dit-elle en regardant de nouveau dans sa tasse de café.

C'est bizarre. Elle paraît mal à l'aise du fait que je parle à quelqu'un de son idée. Peut-être que Jake et elle ne s'entendent pas. Qui sait ?

— Où trouves-tu tes idées ? je demande, comme si je l'interviewais pour mon blogue.

Elle répond en fixant ses chaussures. Elle est peut-être vraiment modeste, en fin de compte.

— Je dessine mes concepts à partir de ce que mes amies et moi, on trouve cool. J'ai commencé par créer des pièces à partir d'ébauches et je les ai ajoutées à mes sneakers. Ça s'est répandu comme une traînée de poudre. Incroyable, non ?

— Est-ce pour ça que tu as quitté la faculté de droit ? Pour poursuivre des études qui correspondaient à ton entreprise ?

Je suis ébahie devant l'entreprise de Stella et, je dois l'avouer, un tantinet envieuse.

— Oui, on peut dire que je préfère largement le côté créatif des choses. En fait, en tant que créateurs, on peut embaucher des avocats, mais on ne peut pas confier la création à un sous-traitant, hein?

— J'admire ton dynamisme. Bravo! dis-je avant de prendre une dernière gorgée de thé.

— Oh, c'est rien. Au bout du compte, tout ça en vaut la peine, lance-t-elle d'un air nonchalant.

Je me demande comment elle parviendra à diriger son entreprise tout en poursuivant ses études et ses projets en classe. Elle doit travailler jour et nuit.

— J'ai vu que tu avais des plans d'affaires, toi aussi, c'est vrai? demande Stella.

— On en a tous, dis-je.

J'adopte un ton jovial, car je ne suis pas prête à révéler trop de détails sur mes plans de blogue. C'est beaucoup trop tôt dans le processus. Et puis, je n'ai encore rien de coulé dans le béton.

Mon père m'a parlé d'un écrivain célèbre qui disait qu'on ne doit partager aucun concept créatif avant qu'il soit pleinement exécuté. Je suis plutôt d'accord: c'est un excellent conseil.

Stella plisse les yeux, l'air de ne pas être contente de ma réponse, mais je change rapidement de sujet.

— Alors, où est-ce que je peux acheter tes autocollants? J'ai carrément besoin de ce fruit souriant. Et le moment est parfait: je viens d'acheter un nouvel étui à téléphone.

Elle a un sourire nerveux. Je ne sais pas trop pourquoi. Tout semble pourtant aller bien.

C'est du moins ce que je pense.

Chapitre douze

Je suis assise au comptoir de cuisine de Maddie qui prépare le dîner. J'ai vraiment de la chance ; en plus d'être une coloc généreuse et drôle (et d'une magnifique élégance), c'est un cordon-bleu.

Je fourre une olive dans ma bouche et je regarde autour. Sa cuisine ressemble à celle qu'on voit dans les magazines de décoration intérieure : électros modernes, quelques antiquités, des touches de raffinement parsemées de taches de couleur. Certaines poutres apparentes courent sur toute la longueur du plafond, des casseroles et des poêles pendent d'un râtelier de cuivre, et des grappes de verdure fournissent une touche de fraîcheur. Les fenêtres pleine hauteur surplombent une cour arrière où une table de bistro et des chaises en fer forgé font un clin d'œil entendu à notre patrimoine français.

Maddie paraît très différente à la maison. Elle s'habille relaxe. Aujourd'hui, elle porte un pantalon de yoga noir avec un t-shirt blanc en coton, et ses cheveux sont remontés pour former une queue de cheval détendue.

— Comment te débrouilles-tu avec la compétition ? je demande en regardant fixement mes ongles.

Je fais de mon mieux pour ne pas me les ronger avant mon rendez-vous avec Jonathan. Je viens de leur donner une couche fraîche de vernis rose pâle.

— La quoi ? répond-elle en ajustant ses lunettes.

— Tu sais… avec les collègues ?

J'ai posé la question sur un ton jovial, mais en vérité, je me sens mal à l'aise à propos de ce qui s'est passé aujourd'hui à la bibliothèque. Je suis fatiguée de recevoir des regards méchants et de me faire suivre partout. Et puis le fait de ne pas avoir parlé à Jake de la bourse me tracasse.

Cette idée que nous devons compétitionner pour des résultats scolaires, des bourses, des emplois et de l'argent soulève des émotions complexes. Je suis anxieuse, j'ai peur de me surexposer et de me tirer une balle dans le pied. Le conflit est réel entre ces sentiments et mon ambition – et je ne sais pas trop comment gérer ça.

Maddie se détourne de son four et me lance un regard inquiet.

— Pourquoi, Clémentine ? Est-ce qu'il y a une chose que je devrais savoir ? qu'elle demande en levant un sourcil.

Je sais qu'elle s'en fait à propos de moi et qu'elle prend au sérieux son rôle de gardienne. Et en tant que professeure, elle est consciente des pièges de mon âge : les tyrans, les râleurs et tous ces problèmes d'estime de soi. Oh, que c'est agréable d'avoir dix-neuf ans !

— T'en fais pas, il n'y a pas de quoi s'inquiéter. C'est des niaiseries, je dis.

J'évite de lui révéler qu'il y a à l'école une femme qui me lance des regards de travers – ça ne ferait que l'inquiéter et, franchement, c'est juste idiot.

— Oh ? Qu'est-ce que tu veux dire ? réplique-t-elle.

— On dirait qu'il y a beaucoup de compétition à Parsons. C'est tout. As-tu déjà eu cette impression-là ?

— Bien sûr, ma douce. Qui ne l'a pas eue ? dit-elle en s'essuyant les mains sur son tablier. Mon Dieu, toute ma vie, j'ai affronté la pression : pour obtenir des résultats scolaires décents, pour obtenir des bourses – tu sais que mes parents n'avaient pas assez d'argent pour me payer mes études de troisième cycle. J'ai également été en concurrence avec des milliers de candidats pour devenir juge à l'émission de télé. Je sais que c'est difficile, mais tu dois t'adapter – ça fait partie de la vie, c'est tout. Je vais te donner une façon d'y arriver : ne t'inquiète pas des autres, concentre-toi seulement sur ton propre parcours.

J'expire bruyamment.

— Ce n'est pas toujours aussi simple. Certains aiment te mettre des bâtons dans les roues. Et je déteste le mot compétition – je préfère collaboration.

Elle sent mon malaise et s'approche pour me donner une chaude accolade. Je me sens déjà mieux.

— Je le sais bien, tu es une personne réfléchie. Mais tu dois trouver le moyen de te détendre et d'affronter la pression. Tu ne peux l'éviter. Mais si tu la gères de la bonne façon, ça peut te mener très loin.

— Tu crois ?

— Bien sûr. Quand j'ai créé une collection pour mon mémoire de maîtrise, il y avait tellement de compétition. Et une telle pression. Quand j'ai présenté mes vêtements, les juges étaient tellement stricts ; la coupe devait être impeccable, raconte Maddie en repensant à l'époque où elle fréquentait l'école de mode. Et s'il y avait la moindre imperfection, c'était un échec. Pour l'école, pour le programme, et pour soi.

Comme pour bien me le faire comprendre, elle dirige sa cuiller de bois vers moi.

— Ouf! Je ne peux pas m'imaginer subir ce genre de pression, dis-je en secouant la tête. Au moins, mes projets d'avenir dépendent de l'écriture. Même si j'adore la création de mode, je ne pense pas pouvoir gérer le stress nécessaire pour monter des collections de cette façon-là.

— Tu crois plus facile d'être rédactrice ou critique de mode? Réfléchis, ma chérie. Il existe des tas de rédacteurs de talent et passionnés.

— C'est vrai. Je te le concède.

Je pense à Jake, qui sera soumis à ce genre d'examen minutieux avec sa propre collection. Je n'ai pas encore constaté ses talents pour la couture ou l'exécution. J'espère seulement qu'il sera accepté.

— Songes-tu à ton ami Jake?

De toute évidence, elle est télépathe.

— Oui. Il est tellement sympa. On vient de se rencontrer, mais déjà, il est comme un frère. Mais je me sens coupable à propos de la bourse.

— Oh, Clémentine, je vois qu'il t'adore. Tu sais qu'il sera transporté de joie pour toi. C'est ton heure de gloire. Tu ne peux pas rester effacée, à présent, ce serait une erreur terrible. Tu viens de débuter et tu es pleine de promesses. Les amis qui comptent te soutiendront toujours, quoi qu'il arrive.

Elle agite de nouveau la cuiller dans ma direction et m'envoie des particules de sauce. Je me penche pour les éviter.

— Tu as raison. Mon insécurité vient sans doute de ma mère, qui m'a enseigné que si on reçoit une part, on l'enlève à quelqu'un d'autre.

— C'est ridicule ! Tu ne lui enlèves rien ! Je ne m'en fais pas à propos de Jake. Il a tout plein de charisme, de passion et d'énergie. Il va réussir. Je le sens… Je suis voyante, tu sais.

— Oui, et une bonne entremetteuse, aussi, en passant, dis-je avec un clin d'œil.

Songer à Jonathan me réjouit. Je commence à me détendre.

— Tes talents de médium… est-ce que ça explique que tu ne fréquentes personne ? Tu lis dans l'esprit des hommes et tu sais si les choses vont marcher ?

— Très drôle. Si seulement c'était si évident, ma chérie. Tu sais, fréquenter des gens à New York, ce n'est pas simple. Ça suffit à pousser une femme vers la folie… ou l'alcool, répond-elle en se versant un verre de rouge.

Bon. J'espère que Jonathan n'augmentera pas mon anxiété. J'en ai déjà suffisamment. Jake a peut-être raison : fréquenter quelqu'un lorsqu'on étudie à Parsons, ce n'est pas une bonne idée. Il reste seulement deux jours avant notre rendez-vous. Mais je ne compte pas les jours, voyons !

— Alors, que sais-tu de Jonathan ? je lui demande en me rappelant le commentaire de Jake sur les photographes.

— Dans quel sens ?

— Sais-tu quelque chose de son passé ? Est-ce qu'il a eu des copines cinglées ? Pris des stupéfiants ? Mené des activités illicites ?

Maddie s'étouffe avec son vin.

— Allons, Clémentine, es-tu de nouveau parano ?

Elle a probablement raison. Il faut que je me calme.

— Je ne pense vraiment pas qu'il ait trop de squelettes dans le placard. Je ne l'ai vu participer à aucune des fêtes de la Semaine de la Mode. Il paraît plutôt sain. J'imagine qu'il fait du yoga et de la méditation, et qu'il est végétalien, lance-t-elle en déposant le poulet rôti sur le comptoir de la cuisine.

Nous éclatons de rire en même temps.

— Eh bien, dans ce cas-là, j'ai un plus gros problème, je dis en attaquant mon repas.

Apprendre à gérer les émotions, ça creuse.

Chapitre treize

— Es-tu prête pour ton rendez-vous avec le hipster ? demande Jake, assis près de moi à l'auditorium de l'école.

Nous sommes venus assister au colloque de Maddie. Elle est modératrice, et quelques enseignants, rédacteurs et créateurs seront de la table ronde. Jake est chic aujourd'hui, avec un pull à col roulé, un blazer de laine gris et un jean en faux cuir. Il a accessoirisé son look d'une manière classe avec un sac assorti, en cuir noir, qui me fait baver. C'est la première fois que je le vois si élégant, et il a une allure incroyable.

— Mmm… oui, j'imagine. Je suis un peu nerveuse, je pense même que j'ai carrément le trac. C'est bon signe, non ?

Jake est en train de devenir mon confident. Il est si ouvert à tout que j'ai envie de partager avec lui autant qu'avec Maddie.

— T'en fais pas, ma chouchoute, c'est l'ivresse, dit Jake en me tapotant le genou. Je te parie qu'il ressent la même chose en se disant qu'il va bientôt revoir ton joli minois.

Son commentaire me rassure. Heureusement que j'ai accepté de venir ici avec lui aujourd'hui.

L'auditorium bourdonne de membres du personnel qui se déplacent dans la pièce, portant des casques d'écoute, des micros et d'autres outils techniques. La foule devient plus dense à chaque seconde, et je vois que cet événement sera un succès majeur.

Le titre du colloque est *Mode et Diversité*, un sujet en vogue dans les médias et dans l'industrie. Au programme : les questions raciales sur le podium, l'appropriation culturelle des symboles par des créateurs de mode et la diversité dans l'emploi et la publicité. Maddie m'a dit que son colloque faisait partie d'une série mettant en vedette des conversations animées au carrefour de la mode, de la culture, des femmes et des médias. Je suis ravie du fait que Parsons soit suffisamment avant-gardiste pour tenir un tel événement, et j'ai très hâte de l'entendre parler. Elle se prépare depuis des semaines.

J'ai apporté un nouveau cahier pour noter toutes mes observations sur papier. Je décrirai peut-être cet événement sur mon blogue.

Toutes ces discussions sur la diversité, ça me rappelle un défilé que j'ai vu récemment sur YouTube, en provenance de la Semaine de la Mode de Beijing. Le créateur de mode chinois Sheguang Hu a envoyé l'acteur chinois de soixante-dix-neuf ans Wang Deshun, torse nu, sur le podium. Non seulement avait-il fière allure en parcourant le podium d'un pas nonchalant, mais il a littéralement volé la vedette, souriant aux caméras et à la foule. C'est le genre de chose qui manque à cette industrie. Des mannequins différents, qui brisent le moule et secouent l'ordre établi.

— Cette anxiété que tu ressens à l'idée de voir Jonathan… c'est tout à fait normal, affirme Jake en croquant des arachides, les yeux rivés sur un joli membre du personnel portant un jean serré.

— Puisque tu le dis. Peu importe ce que c'est, je le sens carrément. J'ai à peine dormi la nuit dernière. De toute façon, j'ai hâte d'aller voir cette exposition de photos.

— Ouais, c'est ça. Expo mon cul, dit-il en lançant une autre arachide dans sa bouche. Fais ce que tu veux, mais s'il te plaît, évite d'aller plus loin – tu vois ce que je veux dire. Il est trop tôt. À moins que tu ne souhaites pas vraiment le revoir.

— Je sais. T'en fais pas, je vais bien me tenir.

— Reste calme, c'est tout, Clem. Tout ira très bien. Sois super relaxe à propos de tout ça – mais aussitôt rentrée, appelle-moi, d'accord ? Je veux tous les détails, ajoute Jake en souriant, révélant ses fossettes.

Je ricane dans ma barbe. Jake fait comme s'il ne s'intéressait pas à mes amours, mais je vois qu'il est vraiment accro, comme une meneuse de claque sur la ligne de touche du Super Bowl juste avant l'arrivée des équipes. Il vit par procuration grâce à mes rendez-vous, on dirait.

— As-tu jeté un coup d'œil aux programmes de bourses dont je t'ai parlé ?

Je décide de changer de sujet. Je ne veux plus discuter de Jonathan – ça me rend tellement nerveuse.

— Tu veux rire ? Oui, bien sûr. J'ai vraiment besoin d'une rentrée de fonds. J'ai même envoyé tous les formulaires. J'ai travaillé toute la nuit à les remplir. Tout ce que je peux dire, c'est que si je l'obtiens, je t'emmène faire une virée en ville pour célébrer. Dans un endroit huppé, comme le Carlyle. Juste *toi et moi*.

Il affecte un accent français snob qui me fait rire.

—Je suis vraiment contente que tu l'aies fait. J'ai l'impression que tu vas l'obtenir. Ton projet est tellement génial. Écoute, si quelqu'un mérite de l'aide financière, c'est bien toi. D'ailleurs, j'ai quelque chose à t'annoncer.

Il me revient en tête ce que m'a dit Maddie : que Jake serait enchanté pour moi. Je me rapproche pour que personne ne puisse entendre.

—Je viens d'apprendre que j'ai reçu une bourse pour lancer mon blogue.

Jake tourne brusquement la tête, d'une façon dramatique, et son sac d'arachides bascule dans son sac de cuir. Elles tombent, une à une, au fond de son sac.

Ses yeux se plissent et il rougit.

—Vraiment, Clem ? Tu as eu une bourse ? Tu as vraiment toutes les chances de ton côté, non ? lâche-t-il d'un ton brusque.

De but en blanc, son regard heureux s'est changé en expression de colère. Je ne sais pas quoi dire, ni quoi faire. Sa réaction me prend complètement au dépourvu.

Il rapproche son visage du mien. Je suis figée sur mon siège.

—Pourquoi aurais-tu besoin d'une bourse ? Est-ce que ton papa ne paie pas tout ? dit-il avec un rictus. Je dois cumuler deux emplois pour payer mes frais de scolarité à Parsons. Il serait bien que tu laisses des miettes aux autres.

Aïe. Mon visage s'allonge, et j'ai une douleur aiguë à la poitrine. Je veux sortir en courant de la salle, mais mes jambes restent collées au siège de l'auditorium. J'aurais dû suivre mon intuition et me taire. Ah, que je suis nulle !

La honte m'envahit. Il a raison. Je n'ai pas gagné cet argent ; j'ai reçu l'aide de Maddie. Je me sens affreuse de l'accepter, de l'encaisser, et pire encore, de l'utiliser pour m'offrir des bottes griffées. Je me dégoûte.

Je regarde tous les étudiants de talent qui circulent dans la salle, dont beaucoup ont contracté des prêts importants pour venir étudier à Parsons. Pourquoi devrais-je être favorisée ? Je ne vais surtout pas demander à mes parents de payer le lancement de mon blogue, mais j'ai mon allocation et je sais qu'en cas de nécessité, je peux compter sur leur soutien. J'ai la tête qui tourne – ce n'est pas juste. Je dois rendre la bourse. Je trouverai une autre façon d'obtenir des fonds. Je suis une personne débrouillarde ; je trouverai une solution de rechange. Je prendrai un emploi.

La chanson *Sorry* de Justin Bieber me vient à l'esprit. Est-il trop tard pour le dire ? Vu la réaction de mon ami, je dirais que la réponse est carrément oui.

— Et tu sais quoi d'autre, Clémentine ? murmure Jake.

Il est sur une lancée.

— Comme je suis super occupé à cumuler deux emplois en plus de mon travail scolaire intense, je n'ai pas baisé depuis au moins un an. Ouais, c'est vrai. T'as bien entendu. Contrairement à toi, je n'ai pas le luxe d'avoir des rendez-vous avec de jolis garçons qui paieront la note de mon dîner.

Il se détourne de moi en se mordillant la lèvre inférieure.

Je me mets à trembler en retenant mes larmes. Je veux dire quelque chose, mais rien ne sort. Je finis par me lever et sortir par la porte en courant, bousculant Maddie à la sortie.

— Où vas-tu, Clémentine ? demande-t-elle, l'air troublé par mon soudain départ. Nous commençons dans quelques minutes.

— J'ai une urgence. Vraiment désolée. Bonne chance !

Je sais qu'il est impoli de ma part de partir maintenant, mais ma réputation, mon amitié et mon respect de moi-même sont en jeu.

Je sors à toute allure et claque la porte derrière moi, en me rappelant que Maddie a terminé ses études à l'école de mode sans l'aide de la famille. Si elle, elle a pu, eh bien, moi aussi. Et si je ne peux pas souffrir de me regarder dans la glace, comment puis-je m'attendre à ce que Jonathan ou Jake me regarde avec amitié ou admiration ?

Je sors de l'édifice principal de Parsons et je cours vers Union Square, en passant devant des camarades de classe qui marchent dans la direction opposée. J'ai quelque chose de précieux à regagner : une importante amitié.

Je marche jusqu'à la plus proche succursale Citibank, où mes parents ont ouvert un compte à mon nom. Je veux prendre une traite bancaire pour rembourser les fonds dès que possible. Puis, je vais rendre les bottes. Ma décision est finale.

Si Jonathan est authentique, peu importe ce que j'aurai aux pieds demain. Ce qui compte, c'est ce qui se trouve dans mon âme et dans mon cœur.

Chapitre quatorze

— Pourquoi cette sortie dramatique, Clémentine ? demande Maddie le lendemain matin.

Je suis assise dehors, sur sa terrasse, à prendre du soleil et de l'air frais, et j'essaie de me détendre avant de rencontrer Jonathan. J'essaie aussi de me remettre des remarques blessantes de Jake. La nuit dernière, j'ai eu beaucoup de mal à dormir ; je suis encore furieuse à propos de ce qu'il a dit et je ne sais pas trop comment aborder ça. Devrais-je l'appeler ? Envoyer un texto ? Ou prendre du recul, le laisser se défouler et attendre à lundi ? Je suis triste, à vif et ébranlée. Qui aurait cru que l'amitié pouvait blesser autant ?

Maddie me tend une tasse de café aux rayures roses et blanches, avec les mots *Chaque jour est un nouveau départ*. Je la prends avec reconnaissance et j'absorbe aussi le message inspirant.

Je porte mon pyjama préféré, taillé dans le coton égyptien du bleu le plus pâle et bordé de passepoil marine, qui appartenait à ma mère. Il paraît qu'elle l'a reçu en cadeau d'un admirateur secret après une représentation à Milan, et pour éviter de rendre mon père jaloux, elle s'est empressée de me le donner. Là-dedans, je me sens comme une diva.

— Je suis désolée d'avoir raté ton colloque, Maddie. J'ai eu une urgence, dis-je avant d'enfouir mon visage dans ma tasse de java.

— Ah ? Veux-tu m'en parler ?

Elle s'installe devant moi sur une chaise en métal. Elle ne paraît pas fâchée, mais inquiète. Elle porte un exquis pyjama Minnie Mouse en soie, qu'elle a rapporté d'un voyage au Japon. J'espère avoir la moitié de son aisance quand j'aurai son âge.

— Il s'agit de ceci.

Je glisse une enveloppe blanche devant elle. Je sais que c'est la bonne chose à faire et, au fond de mon cœur, je sais que Cécile approuverait.

— Qu'est-ce que c'est ? Un chèque ? Mais pourquoi ?

Elle paraît perplexe.

— C'est l'argent de ma bourse. Je le retourne. Je ne peux tout simplement pas l'accepter, Maddie. D'autres étudiants en ont bien plus besoin que moi. Je me sens mal à l'aise. S'il te plaît, ne sois pas fâchée. Je suis vraiment reconnaissante pour ce que tu as fait. C'est vrai.

Elle paraît déçue et ça me fait encore plus mal aux entrailles.

— S'il te plaît, ne prends pas ça mal, mais je ne pense pas que ce soit juste envers les autres étudiants, ceux qui ont deux emplois pour payer les frais de scolarité.

Après une minute, son visage s'éclaircit. Elle respire à fond, secoue la tête et sourit.

— Tu sais quoi ? Ton caractère m'impressionne. Tu me rappelles moi quand j'étais plus jeune, toujours en train de prendre en considération le sort de mes amis, qu'elle dit en me tapotant la main. C'est un geste de grande maturité. J'admire ton sens de l'honneur. N'arrête pas d'être ainsi, d'accord?

— Ne me complimente pas si vite. C'est Jake que tu devrais féliciter, pas moi. Il m'a engueulée quand je lui ai parlé de l'argent, hier. Il était fichûment fâché et ça m'a vraiment ouvert les yeux. C'est lui le héros de cette situation, pas moi.

À repenser à la réaction de Jake, j'ai un frisson qui descend le long de mon échine. Il paraissait vraiment furieux et, même si ses paroles étaient dures, il avait raison.

— Lui as-tu parlé de nous? demande Maddie.

— Non, non. Il n'est pas au courant de notre lien de parenté. Il trouve que j'avais tort de faire une demande de bourse, vu que mon père paie déjà pour tout. À bien y penser, il a raison.

— Puisque tu le dis.

Elle penche la tête de côté et sourit. Quel soulagement! On dirait qu'elle est d'accord avec moi.

— Ah, ce cher Jake. J'aurais dû deviner qu'il était derrière tout ça. Il a beaucoup d'influence sur toi, non?

Elle tend le bras vers son café et enveloppe la tasse de ses doigts.

— C'est un type magnifique, avec des valeurs solides. Il s'efforce de réussir, comme nous tous. Je lui ai suggéré de demander une bourse pour faire décoller son projet de création. Je pense qu'il a une bonne chance d'obtenir un financement. Son projet est incroyable.

— Oh ? Qu'est-ce que c'est ? demande rapidement Maddie, mue par son instinct pour la création.

— Je ne peux pas en parler, hélas. Une promesse est une promesse.

Je lui fais un clin d'œil.

— Tu es loyale et honnête, Clémentine, et j'apprécie vraiment. Mais sois prudente. Ce n'est pas tout le monde qui pense comme toi, dit-elle avant de se lever pour retourner à la cuisine. Aimerais-tu un petit déjeuner ? Je suis en train de préparer une omelette.

— Non, merci. J'ai envie de granola avec du yogourt. Ne t'en fais pas, je trouverai.

Avant de me diriger vers la cuisine, je repense à Jake. Est-ce que cette bourse va détruire notre amitié ? Puis mes pensées vont vers Ellie. Est-ce qu'elle rembourserait l'argent si elle était à ma place ? Et surtout, comment vais-je trouver l'argent nécessaire pour financer Bonjour Girl, maintenant ?

Ma décision me tracasse et je me demande si je ne devrais pas annuler mon rendez-vous avec Jonathan. Cette dispute avec Jake et le soudain renversement de ma situation me donnent le cafard. Suis-je vraiment d'humeur à visiter une exposition de photos ? Ou devrais-je aller me cacher sous le duvet et passer la journée à me morfondre ?

Que faire ?

Ma tête me dit d'annuler, mais mon cœur m'encourage à y aller. Nous verrons quel aspect de moi l'emportera quand j'aurai pris ma douche et verni mes ongles. Ça me remonte toujours le moral.

Selon le créateur de mode Prabal Gurung, les ongles sont le point final du look. J'ajouterais qu'ils sont l'arc-en-ciel après l'orage. Ils embellissent ma journée. Et tant que cette ville ne m'épuisera pas et ne changera pas mon cœur en pierre, je reste optimiste.

Chapitre quinze

— Eh, Clémentine, qu'est-ce que tu veux boire ? demande Jonathan.

Nous attendons en file dans un café hip de Williamsburg, alors qu'un barista prend notre commande. Heureusement, ma déprime s'est effacée sous une douche fumante et un vernis à ongles Essie, couleur Urban Jungle Pink, auquel j'ai ajouté de minuscules étoiles en paillettes bleues et roses. Cette couleur de vernis décrit avec à-propos la ville où j'ai atterri et me rappelle que j'ai encore beaucoup à apprendre sur l'art de me faire des amis à New York.

Jonathan et moi nous sommes entendus pour nous rencontrer dans ce lieu bien fréquenté. Il est rempli d'une foule assez jeune et branchée. À l'arrière, il y a un petit patio parsemé de cactus en pots qui accentuent l'ambiance boho. La voix de Jane Birkin retentit des haut-parleurs et je suis contente de porter la tenue appropriée à cette ambiance décontractée. J'ai choisi une simple blouse paysanne rouge et blanche, un jean et des sandales havane. Mon seul véritable accessoire de mode est un sac rétro, rouge, qui appartenait à Cécile.

— Un café ordinaire, noir, merci, je réponds avec reconnaissance.

Je ne peux m'empêcher de fixer Jonathan pendant qu'il commande. Il est beau à voir dans un jean bleu délavé, décontracté, une chemise de lin blanche et des Vans bleus. J'adore tout de son look. Jake a raison, je suis complètement prévisible, mais je m'en fiche. Mon goût pour les hommes est à prendre ou à laisser.

— Pas de cappuccino au lait allégé pour toi, ni de moka au lait écrémé sans sucre ? demande Jonathan à la blague.

La façon dont certains Américains commandent leur café me rend folle. Je suis contente de voir qu'il semble partager mon point de vue. Ce n'est tout simplement pas ma tasse d'allongé.

— Euh, non, j'aime les choses simples. Du moins, la plupart du temps, dis-je avec un sourire narquois.

Je ne suis pas toujours aussi facile à vivre, et j'ai vraiment des excentricités et des phobies ridicules, mais je ne veux pas en parler. Je ne veux pas l'effrayer tout de suite.

— Bon. Je raffole de ça chez toi, Clémentine, répond Jonathan, ce qui met mon cœur dans tous ses états.

— Aimerais-tu manger quelque chose ? Le parfait au granola n'est pas mal, et les sandwiches végétaliens sont incroyables.

Je souris intérieurement en songeant au commentaire de Maddie sur le mode de vie de Jonathan. Je m'en faisais pour rien, c'était ridicule. Quel gaspillage d'énergie.

— Non, merci. J'ai déjà déjeuné. La prochaine fois, peut-être ?

Il me fait un clin d'œil. Je suis aux anges.

— Alors, comment va l'école, jusqu'ici ? demande-t-il une fois assis dans un coin tranquille.

— Bien. Je me suis fait quelques amis. En tout cas, c'est ce que je croyais jusqu'à hier.

Mon visage s'allonge. Je me sens encore affreuse à propos de ce que Jake a dit.

—Ah? Pourquoi? Qu'est-ce qui s'est passé? me demande-t-il, et je regrette tout de suite d'en avoir parlé.

Je n'ai toujours pas de nouvelles de Jake, même après lui avoir envoyé plusieurs textos, et ça me rend vraiment triste. J'espère seulement que notre amitié survivra.

En levant les yeux de ma tasse, je vois Jonathan qui me regarde fixement.

—J'ai rencontré l'étudiant le plus gentil de ma classe. Il s'appelle Jake et on est vraiment devenus copains le premier jour. Puis il s'est vexé à propos d'une chose que j'ai dite. J'espère seulement qu'on pourra régler ça. Sinon, ce sera la plus courte amitié de tous les temps.

Je soupire et hausse les épaules.

— Lui as-tu parlé depuis? demande Jonathan, l'air sincèrement préoccupé.

Je dois dire que je me sens complètement à l'aise de me confier à lui. J'aime pouvoir mettre cartes sur table sans me sentir jugée. Il me vient à l'esprit que je m'en suis beaucoup trop fait à propos de ce que j'ai dit et de la façon dont j'ai agi à l'égard de mon ex. À partir d'aujourd'hui, c'est chose du passé.

Je secoue la tête et fixe mes pieds.

—Je lui ai envoyé quelques textos, mais jusqu'ici... aucune réponse.

Jonathan prend une gorgée de café et une bouchée de sandwich. J'adore sa façon de retourner des idées dans sa tête et de peser ses mots avant de dire quoi que ce soit.

— S'il est bien la personne que tu décris, il te pardonnera. On dit et on fait tous des choses qu'on regrette, m'assure-t-il avec douceur.

Il m'aide à me sentir mieux, et j'en suis reconnaissante. Et encore plus attirée vers lui, comme si c'était possible.

— Tu as raison. Je suis sûre que les choses reviendront à la normale lorsqu'on aura aéré l'atmosphère, dis-je.

En parler me fait du bien.

— Je ne me tracasserais pas trop à propos de ça. Pense seulement à tous ces miracles dans ta vie. Comme cette bourse.

Ses yeux s'allument et ça me donne envie d'enfouir ma tête dans la plante d'intérieur. J'ai peur qu'il me prenne pour une ratée pour avoir remboursé l'argent. Je ne trouve pas de mots et, comme je le fais parfois dans ce genre de scénario, je commence à jouer avec mes ongles.

— Oh, j'ai bien peur que ça n'ait pas fonctionné, finis-je par répondre de la façon la plus évasive possible.

— Vraiment? Qu'est-ce qui s'est passé?

— C'est une longue histoire, mais j'ai pris ma décision. Je ne trouvais pas juste d'accepter l'argent à la place de quelqu'un qui vivait une difficulté financière plus grande, et j'ai décidé de rendre la bourse à Parsons... par principe, dis-je en détournant le regard.

Quand je lève les yeux, les siens sont presque exorbités. C'est ça; il me croit cinglée. Il ne serait pas le premier.

— Tu l'as rendue ? *Oh man*, Clémentine, je ne connais personne qui aurait fait ça. Et par principe ? Mon Dieu, tu es un oiseau rare.

Un oiseau rare ? Il me compare à un étrange animal. Ah bon, j'aurais dû m'y attendre. Je suis différente et, parfois, ce n'est pas si bon.

— Une exquise, rare, magnifique créature ailée, voilà ce que tu es.

Il lève les bras en l'air comme pour s'envoler. J'éclate de rire.

— Tu es intéressante et différente, et j'aime ça.

— Je le prends comme un compliment. J'ai cru que tu me trouverais folle.

— Folle, non. Suprêmement originale, oui.

Après avoir terminé son déjeuner et essuyé ses lèvres, il se rapproche et mon cœur chavire. Je ne sais pas trop s'il veut partager un secret ou m'embrasser, mais les deux m'iraient.

— Je suis vraiment content qu'on se soit rencontrés, murmure-t-il. Es-tu prête à visiter l'exposition ? J'ai tellement hâte que tu voies mon travail !

— J'en meurs d'envie ! dis-je, même si je l'ai déjà googlé et que j'ai vu la plus grande partie de son travail sur son site Web professionnel.

Une fille doit faire une certaine recherche avant un premier rendez-vous.

— Allons-y !

Je finis mon café et me lève. La caféine et les palpitations cardiaques font courir le sang dans mes veines.

—J'ai oublié de te dire, prévient Jonathan alors qu'on se rend jusqu'à la porte. Il y aura quelques journalistes. C'est le vernissage de l'expo pour la presse. J'espère que ça ne te dérange pas : il faudra peut-être que je m'absente un peu quand on arrivera pour donner quelques entrevues.

C'est le vernissage de l'expo pour la presse ? Je pense à ma tenue décontractée et je ne me sens pas assez chic. Après tout, je suis une étudiante en mode à l'école Parsons et je devrais mieux le montrer. J'essaie de repousser ces pensées négatives lorsqu'il me vient à l'idée que Jonathan m'a invitée à cet important événement.

Il me prend la main et me guide gentiment en sortant du café alors que nous trottinons dans les rues de Brooklyn. Par la suite, franchement, je ne sais pas ce qui se passe pendant trente bonnes minutes. Je suis tellement absorbée par lui et par nous, et par cet instant, que je laisse vagabonder mon esprit et mon cœur et le laisse prendre les devants.

En route vers le métro qui nous mènera au Pratt, nous faisons quelques arrêts, dont un dans une confiserie où Jonathan achète des spirales de réglisse à l'ancienne que j'ai repérées dans la vitrine ; je lui dis qu'elles me rappellent mon enfance. Par la suite, il m'emmène dans une librairie rétro aux planchers de bois qui craquent et aux tablettes antiques remplies de romans contemporains et classiques. Il me guide vers sa section préférée, la littérature russe, et me montre certains de ses livres favoris, dont *Crime et châtiment* de Dostoïevski. Nous nous blottissons contre les étroites bibliothèques et chaque fois que son bras ou son épaule me frôle, je me sens de plus en plus prise de vertige. Et à chaque nouveau livre qu'il me désigne, je me sens de plus en plus amoureuse de lui. C'est fou ; c'est seulement notre premier rendez-vous. Mais je me sens déjà proche de lui, c'est indéniable.

Au Pratt, Jonathan me guide jusqu'à l'exposition. Elle s'intitule *Complets, cravates et robes*, et c'est une série de portraits d'experts et d'artistes de la mode new-yorkaise populaire : blogueurs, créateurs, danseurs, mannequins et rédacteurs de mode dans leur habitat chic.

Dès que nous entrons dans la galerie, un journaliste s'approche pour poser quelques questions à Jonathan. Avant de répondre, Jonathan me demande la permission. Ce geste fait chanter mon cœur. En plus d'être sexy, il a de la classe et de bonnes manières.

Lorsque l'entrevue est terminée, il va chercher deux verres d'eau pétillante avec des tranches de citron et me présente à des amis et à des connaissances. Nous faisons tinter nos verres, puis il me prend par le bras et m'emmène vers la salle suivante afin de jeter un coup d'œil plus précis sur les photos. Je vois qu'il est impatient de me montrer son travail. Si j'étais à sa place, je le serais aussi.

— Cette femme est un génie absolu, dit-il en désignant l'une des photos. Regarde ses yeux et sa façon de fixer l'appareil : magnifique, non ?

Il fait référence à une Espagnole qui semble être dans la soixantaine et porte une chemise blanche et impeccable. Ses lèvres sont d'un rouge vif assorti à son audacieux collier. Ses grands yeux bruns sont remplis de confiance et de sagesse. Elle a une allure incroyable.

— Oui, tout à fait.

J'aimerais ajouter « tout comme toi », mais je garde ces paroles pour moi-même. Je ne suis pas prête à les dire tout haut.

Après ses portraits, il me conduit dans la salle suivante.

— C'est la section de photographies de vêtements. Je sais que tu les apprécieras, murmure-t-il à mon oreille.

Je suis presque pâmée.

— Cette cape est fabriquée au moyen d'une technologie d'avant-garde, dit-il fièrement en désignant d'une main une photographie tout en tenant la mienne de l'autre.

Il se penche vers moi et je sens son eau de toilette à l'odeur terreuse. J'ai de la difficulté à me concentrer.

— Elle est censée réagir à la pollution et protéger la personne qui la porte. Cool, non ? Elle a été créée par un ancien étudiant de Parsons et on m'a demandé de la photographier.

— C'est très impressionnant, dis-je avec une soudaine tristesse en songeant à Jake.

Je sais qu'il adorerait voir ça. Il faut que je me souvienne de lui envoyer une photo, plus tard. Peut-être que ça l'incitera à me répondre.

— Et ce tissu, poursuit-il en désignant une photo d'une robe dans des tons de jaune, perd des couches à mesure que la température augmente. Incroyable, non ?

Il a les yeux écarquillés par l'emballement. Il semble aussi fasciné que moi par ces choses. Il pose délicatement la main sur ma nuque et j'oublie momentanément où je suis. La robe disparaît de ma vue. Je fonds un peu plus en dedans. Je ne veux pas qu'il s'écarte.

— Enfin, la pièce de résistance est cette robe noire. Les plumes sur ses épaules s'ébouriffent quand on est face au nord. Kim Kardashian devrait la porter! ajoute-t-il en faisant référence au nom de sa fille, North.

Je ris de sa blague et il me frôle encore le cou avec les doigts. Cette fois, mes genoux se changent en porridge. J'essaie de faire un commentaire sur la photographie et la robe, mais il me faut quelques secondes avant de pouvoir parler.

— Tu as raison, c'est le vêtement le plus fascinant de la salle, jusqu'ici. C'est exactement le genre de chose que j'aimerais décrire sur mon blogue.

Je prends une photo avec mon téléphone et j'essaie de capter tous les détails. C'est l'une des raisons pour lesquelles je suis venue à New York: des créations incroyables et des concepts suprêmement innovateurs.

Alors que je prends des notes sur mon téléphone, Jonathan me prend le bras, m'attire vers lui et m'embrasse doucement sur les lèvres. J'oublie mes notes… j'oublie mon nom, d'où je viens, et le fait que je suis dans un lieu public, et je lui rends son baiser. Nous restons là, enlacés, un long moment.

Puis, il recule d'un pas, me frôle le menton de sa main et finit par rompre le délicieux silence.

— Non, Clémentine, le plus fascinant, ici, c'est toi.

Chapitre seize

Nous sommes le mardi qui suit la fête du Travail et je suis assise en classe, en attente de la prochaine conférencière. Ce sera un exposé sur la propriété intellectuelle, et une avocate new-yorkaise renommée dans le milieu de la mode exposera les implications juridiques de la protection de créations. Même si le sujet m'intéresse vraiment, je suis distraite. J'ai en tête les lèvres de Jonathan qui touchent les miennes, et le dîner que nous avons partagé dans un pittoresque restaurant italien. Et je suis tendue à l'idée de revoir Jake. Il n'a répondu à aucun de mes textos, même pas celui qui accompagne une image de la cape magique de l'exposition de Jonathan. Est-ce le début d'une relation, mais la fin d'une autre ? J'espère bien que non.

Je regarde par la fenêtre qui donne sur la Cinquième Avenue, perdue dans mes pensées. Au lieu de songer à des tissus luxueux, à des défilés de mode internationaux et à d'impressionnantes coupes, je broie du noir.

Notre conférencière invitée ne ressemble aucunement aux avocats qu'on voit à la télé. Pas de tailleur noir, pas de chemisier rigide à col monté. Elle porte des talons aiguilles Chanel extrêmement hauts, ornés d'une grosse perle sur le devant. (Je me rappelle avoir bavé en les voyant dans un magazine.) Elle porte aussi un blazer rouge vif, un pantalon de cuir noir et fin, un chemisier blanc et de gigantesques boucles d'oreille en forme de lustres qui étincellent dans la lumière du soleil.

Maddie m'a dit qu'elle est professeure adjointe et qu'elle enseigne la propriété intellectuelle à Parsons, et selon sa bio, elle représente plusieurs grandes marques de la mode, y compris Diane von Furstenberg, Tory Burch et Christian Louboutin. Sa conférence devrait être intéressante – sinon distrayante, à cause de ses chaussures. Ou bien suis-je distraite par les malheurs de mon amitié ?

— Eh, murmure une voix masculine derrière moi.

Je la reconnais immédiatement : c'est Jake. Comme je ne sais pas trop à quoi m'attendre, je me fige.

— Psst, eh, Clémentine. C'est moi, Jake l'ordure. Non, je veux dire la gigantesque ordure…

Je suis tellement soulagée que je bondis presque de mon siège. Je me retourne pour mieux le regarder. Le teint pâle, il porte une casquette de baseball noire, un jean noir délavé et un blouson d'aviateur en soie assortie, avec des papillons brodés sur une manche.

— Oh, Jake, s'il te plaît. Ne te dénigre pas comme ça.

— Non, vraiment, Clem. Je suis tellement désolé d'avoir perdu le nord. C'était vraiment bête de ma part. Et ce que j'ai dit… c'était méchant. Je retire tout.

— Tu n'as pas à t'excuser. C'est moi qui…

Jake m'interrompt :

— Non, je m'en suis pris à toi sans raison. Je me suis senti tellement con et j'étais tellement gêné… Je n'ai rien fait d'autre que de me détester tout le week-end, me révèle-t-il en fixant ses sneakers Adidas.

— Non, écoute, Jake. Tu avais raison. Je n'aurais pas dû accepter cet argent. Ce n'est pas juste. Tu le mérites bien plus que moi, dis-je – avec l'air d'Adele qui s'excuse auprès de Beyoncé après avoir gagné le Grammy pour l'album de l'année.

Jake interrompt ma phrase et lève la main en l'air comme un agent de la circulation.

— Ça suffit, jeune fille. Accepte mes excuses, c'est tout, veux-tu ?

— D'accord, d'accord, j'accepte tes excuses.

Ça ne sert à rien de discuter avec lui, de toute façon ; il ne veut pas entendre ma version de l'histoire.

— Ouf. Quel soulagement, souffle-t-il en faisant semblant de s'essuyer le front. J'ai cru que tu ne me parlerais plus jamais. Et ça me rendrait très triste, Clémentine. Je t'aime bien, tu sais. Et bien sûr, ton arrière-grand-mère aussi.

Il me fait un clin d'œil.

— Le sentiment est mutuel.

Je lui caresse l'épaule avec affection.

— Et toi, ma chérie, tu connais tous mes secrets. Tu es au courant de toute ma "propriété intellectuelle".

Il mime des guillemets tout en faisant un signe de la tête en direction de l'avocate de la mode, qui est debout devant notre classe.

— Ne t'en fais pas, ce n'est pas mon genre. Je ne te trahirais jamais.

—Je sais que ce n'est pas ton genre, Clem. Mais révèles-tu des secrets de l'amour ? demande-t-il, assis au bord de sa chaise, de toute évidence à la recherche d'informations sur mon rendez-vous avec Jonathan.

—Non plus, je réplique, rouge cerise, la couleur de mon sac à main.

Il a maintenant toute l'information qu'il lui faut.

Notre séance de bavardage est interrompue par la conférencière invitée, qui se présente à la classe. Je me retourne et commence à prendre des notes. Après tout, ça pourrait être intéressant pour mon blogue. Après un exposé d'une demi-heure sur les questions juridiques qui touchent l'industrie, elle s'excuse poliment pour une pause de cinq minutes.

Jake et moi faisons un signe approbateur en direction de son ensemble, puis nous poursuivons notre bavardage.

—Tu es très discrète. C'est une qualité que j'apprécie, déclare Jake.

Dit-il cela parce qu'il ne l'est pas, je me demande ? J'espère que non. Je lui ai confié beaucoup de choses personnelles et je ne veux pas que ça circule.

—C'est une qualité rare chez les gens, ces temps-ci, ajoute-t-il.

Il lève un sourcil inquiétant, pinçant les lèvres et se croisant les bras tout en faisant un signe de la tête vers le fond de la classe.

Je ne sais pas du tout de quoi il parle.

—Qu'est-ce que tu dis là ?

—Je fais référence à… tu sais… le tweet, répond-il d'un ton étouffé. Je suis tellement désolé. Tu ne méritais pas ça,

Clem. Ce que les gens écrivent en ligne a des conséquences sérieuses… et les intimidateurs n'ont aucune idée de l'impact de leurs commentaires sur les autres. D'ailleurs, en passant, j'ai répondu au tweet en prenant ta défense. Tu as mon appui entier.

Je le regarde fixement, sans expression, et en quelques secondes, l'éclat de mon visage disparaît. Mon estomac se serre et je me sens faible. Jake s'aperçoit que je ne sais pas du tout de quoi il parle et soulève les bras, consterné.

— *Oh my god.* Tu n'as pas vu Twitter.

Je secoue la tête. Il me vient à l'esprit que je n'ai encore installé aucune notification sur mon nouveau téléphone. Je tends le bras.

— Laisse-moi voir.

Jake secoue la tête en signe de protestation. Il passe nerveusement les doigts dans ses cheveux.

— Oh, *shit*, qu'est-ce que j'ai fait?

Il pose les mains sur son visage.

— Tu es sûre de vouloir lire cette merde? Je ne sais pas trop si c'est le bon moment ou le bon endroit.

— Eh bien, si c'est si atroce, je dois être au courant, tu ne crois pas?

L'estomac noué, je me prépare au pire. Je ne sais pas du tout qui a tweeté quoi à propos de moi, mais je sais que le message sera blessant. Je sens encore la brusque humiliation d'avoir surpris mon ex en train d'embrasser ma mère. Ça me blesse encore gravement et ça fait vachement mal. Pourquoi la vie est-elle si cruelle, parfois? Juste au moment où je me sentais aux anges, mon château de cartes s'écroule. Encore.

— Très bien, lis à tes risques et périls.

Il prend son téléphone, fait défiler jusqu'au message, et le tient devant mon visage. Je reste bouche bée en lisant ce tweet méchant :

> @ClementineL, étudiante @Parsons, a reçu une bourse parce qu'elle est parente avec la professeure Madeleine Laurent. C'est tellement INJUSTE !!

Mon estomac se retourne. Des gouttes de sueur se forment sur mon front. Je jette un coup d'œil au compte Twitter, tenant pour acquis que ce doit être l'œuvre d'Ellie. Mais je chavire presque en voyant que ce n'est pas du tout Ellie, mais Stella, l'as du barreau raté, aux jolis ensembles BCBG et aux autocollants tendance. Voilà ce que c'est quand on fait partie de son entourage. Je m'en veux furieusement d'avoir essayé d'être son amie. Quelle erreur – et quelle foutue pagaille ! Je m'en veux encore plus !

Alors, ça me tombe dessus : Jake est au courant à propos de Maddie, et du fait que j'ai gardé ça confidentiel. Et pourtant, il me parle encore. Il voit l'idée qui me vient à l'esprit, et me donne une tape dans le dos.

— C'est vrai, Clem ? Que Maddie et toi, vous êtes parentes ?

Je baisse les yeux pour fixer mes étincelantes chaussures. Je suis gênée de l'avouer. À la place, je rougis.

— Tu sais que tu peux entièrement me faire confiance. Contrairement à certaines personnes de ce cours, poursuit-il en terminant sa phrase à voix haute.

— Oui, c'est vrai, dis-je dans un murmure. J'allais te le dire, mais j'attendais le bon moment. Je n'ai eu aucun traitement préférentiel, je te jure !

— Il n'y a rien de mal au fait d'être parente, Clem. D'ailleurs, c'est très clair pour moi, maintenant : vous avez toutes les deux beaucoup de style, une éducation à la française, tout ça. J'aurais seulement préféré que tu m'en parles.

— Je sais, je suis désolée de te l'avoir caché. Mais dis-toi bien que la bourse était basée sur ma performance scolaire et mon expérience de travail… c'est tout, j'ajoute d'un ton défensif.

Pas étonnant que j'aie reçu plus de regards assassins que jamais, ce matin. Ça s'est su comment ? J'ai l'impression d'être sur le point de vomir.

— *Life's a bitch*, dit Jake en secouant la tête et Stella l'est aussi. Peu importe, c'est tout simplement nul. Il nous faut une stratégie.

Il continue de me fixer, l'air d'attendre quelque chose. Il attend ma réponse, mais je suis sans voix. Je ne sais pas comment répondre à quelque chose d'aussi infâme. Est-ce que la revanche est la meilleure stratégie ? Ou est-ce que je devrais tout simplement ignorer les conneries de Stella ?

Jake désigne le téléphone.

— Le tweet a beaucoup été partagé, sans doute par ses *amies* – il met l'accent sur le mot pour montrer son dédain – de la dernière rangée. Des tonnes de gens ont vu ça. Crois-moi, ma chère, il faut préparer une revanche.

En me retournant, je vois Ellie qui me fixe d'un air étrange de l'autre côté de la classe. Fait-elle partie de l'opération, elle aussi ? La classe entière est-elle en train de se liguer contre moi ? Mais pourquoi ? C'est vraiment nul.

J'aurais envie de me lever pour dire le fond de ma pensée à Stella devant toute la classe, la chose que ferait probablement ma mère, une Française au sang chaud – l'audace et le culot règnent dans ma famille. Mais je prends une seconde pour me calmer et réfléchir. Ce n'est pas le moment d'imiter le numéro dramatique de ma mère ni son tempérament fougueux. Ça ne fera que m'attirer des problèmes, alors même que j'essaie de trouver ma place dans cette école. Je meurs d'impatience de sortir en courant pour dénoncer ces monstres, mais quelque chose me tient fermement vissée à mon siège : le respect de moi-même.

Taylor Swift a-t-elle perdu son calme quand Kanye West a fait irruption sur la scène des MTV Video Music Awards pour lui arracher le micro ? Non. Elle a réagi avec grâce. Si elle est arrivée à garder son calme, moi aussi je le peux.

— Dire que tu as cru que Stella était ton amie. ELLE NE L'EST PAS ! Bienvenue à New York ! s'exclame Jake en me pointant de son crayon.

L'ironie des paroles de Jake ne m'échappe pas, étant donné que nous venons d'avoir une immense dispute qui a presque mis fin à notre amitié après nous êtres connus depuis seulement une semaine.

Je me retourne et lance à Stella un regard furieux, mais elle me tourne le dos pour murmurer quelque chose à ses amies. Le fait qu'elle m'ignore me fait rager encore plus.

Pourquoi me fait-elle ça ? Je ne comprends pas. A-t-elle ses propres projets numériques en plus de sa collection de mode ? Pas étonnant qu'elle ait quitté la faculté de droit : elle est complètement pourrie.

— Cette conférence sur les aspects juridiques nous sera peut-être bien utile. Il faut que tu connaisses tes droits, chérie, pour pouvoir te défendre, relève Jake au moment même où la professeure revient enfin dans la salle pour finir son allocution.

— Fais ce que tu veux, dis-je en roulant des yeux. On se fout des règles.

— Oooh, tu te rapproches, mon trésor. J'aime cette attitude, lance Jake.

Ça m'aide à me calmer un brin. Au fond de moi, je perds mes moyens et m'effondre en un million d'éclats. J'ai furieusement envie de bondir de ma chaise et de sortir de la classe en courant, parce qu'en dépit de ma fausse bravoure, ce que je veux vraiment, c'est disparaître.

La question, c'est : qu'est-ce que je fais maintenant ?

— Allons, Clem. Tu ne peux pas te laisser abattre par cette chipie, me dit Jake alors que nous prenons un délicieux chocolat chaud avec un brownie géant.

On est venus relaxer à l'hôtel Walker, dans la Treizième Rue, juste au coin de l'école. Jake m'a attirée ici après le cours pour m'aider à récupérer et à me remettre du tweet infâme de Stella. Aussitôt franchies les grandes portes de l'hôtel, je me suis sentie mieux.

Le décor rappelle le Gilded Age, cette période dorée qui a suivi la Guerre civile, et c'est le lieu de prédilection d'un assortiment éclectique d'écrivains, d'artistes, de musiciens new-yorkais et de voyageurs d'affaires. Et le nôtre.

C'est un magnifique joyau architectural. Nous sommes assis dans de somptueux fauteuils en demi-lune recouverts de velours rouge, avec, au centre de la pièce, un foyer dont le chaud rougeoiement me fait me sentir bien, en sécurité. Des photos noir et blanc de la ville sont accrochées au-dessus de nous. Je trouve la salle suprêmement romantique et, si je n'étais pas de si mauvaise humeur, j'appellerais Jonathan pour qu'il vienne nous rejoindre ici. Ce sera pour une autre fois.

— Tu sais ce qu'il y a de ridicule ? J'ai d'abord cru que c'était Ellie qui avait partagé ces conneries, dis-je en serrant ma tasse de chocolat chaud.

Je suis franchement secouée par le fait que Stella ait pu s'adonner à une telle bassesse. Quelle hypocrite ! Elle essaie de se lier d'amitié avec moi et puis boum ! de but en blanc, elle me fait un coup bas.

— Je sais ! Stella a l'air innocente et tout, avec ses vestes pastel et ses chaussures roses. Mais c'est une vilaine salope enveloppée dans du sucre candi, lâche Jake en prenant une longue lampée de chocolat chaud qui laisse une trace sur sa lèvre supérieure.

— Comment a-t-elle appris, à propos de Maddie ? C'est ce que j'aimerais savoir, dis-je.

— Qu'est-ce que ça peut bien faire ? Ça ne lui donne pas le droit de te critiquer sur tout l'Internet. C'est peut-être de la diffamation, ajoute Jake, avec l'air de s'y connaître en droit.

—Je ne suis pas sûre que ça remplisse les conditions. Il faut que l'information soit fausse, quelque chose comme ça.

—Elle est fausse. Tu as reçu cette bourse en raison de tes résultats scolaires, Clem, et non parce que tu es de la même famille que Maddie.

—C'est vrai ! Je croyais que la conférence sur le droit de la mode m'aiderait, mais elle était trop théorique. J'ai peut-être besoin du conseil d'un autre professionnel.

—Ouais, un bon avocat au criminel – quand je me serai fait arrêter pour avoir tabassé Stella. Mieux encore, pour avoir mis le feu à l'entrepôt qu'elle utilise pour stocker ses stupides pièces adhésives ! lance Jake en frappant la table du plat de la main, ce qui fait trembler et déborder les verres d'eau – il s'emporte un peu.

Une bouchée du brownie au fudge chaud me calme les nerfs.

—Je crois que la meilleure revanche est de réussir, dis-je posément.

—Qu'est-ce que tu me racontes ? Tu veux me faire marcher ? dit Jake en laissant tomber sa fourchette et en me lançant un regard interrogateur.

Il ne s'attendait évidemment pas à ce genre de réponse, mais ses plans de revanche ne m'enchantent guère. Ils ne sont pas réalistes, de toute façon, même si, au fond, je souhaite faire souffrir Stella, du moins un peu.

—Allons, Jake, faut pas rêver. Tu ne vas pas te faire arrêter à propos d'un tweet à la con, dis-je, à peu près sur le même ton que lui.

— Puisque tu le dis. Mais brûler complètement son entrepôt, ça me paraît amusant, réplique Jake avec un sourire diabolique et une moustache sucrée.

Je me rapproche et j'essuie le chocolat. On ne laisse pas un ami se promener à New York avec une énorme moustache brune.

— J'aimerais tellement lui donner une leçon. Et je pense que la meilleure façon d'y arriver, c'est en créant une incroyable plateforme avec des tas d'abonnés. Le problème, c'est que je n'ai plus d'argent pour lancer mon entreprise.

— Qu'est-ce que tu veux dire ?

Il tourne brusquement la tête, l'air déconcerté.

— Bon, j'ai bien réfléchi à ce que tu m'as dit… et j'ai rendu l'argent de la bourse.

— QUOI ? Dis donc, t'as perdu la tête ?

— Peut-être. Je voulais seulement bien faire, tu sais ?

— Euh, NON.

Il agite sa fourchette à dessert dans ma direction. Je recule pour éviter que des miettes de fondant au chocolat ne tachent mon chemisier.

— Suis-je responsable de ça ? Parce que si c'est vrai, je ne me le pardonnerai jamais.

Une partie du chocolat atterrit sur le bout de mon nez. Je l'essuie. Il ne le remarque même pas.

— Non, ça n'a rien à voir avec toi, Jake. C'est juste moi. C'est une question d'apparence et de karma. Et puis, ce qui est fait est fait, je dis d'un ton catégorique.

— Alors, vois où ça t'a menée : tu es fauchée et humiliée. Écoute, Clem, on vient de se rencontrer et malgré ce que tu dis, je sais que je suis responsable de cette connerie

TOTALE, mais franchement, il faut que tu penses à toi d'abord. Parce que Stella et Ellie ne vont sûrement pas le faire pour toi, hein ?

Il s'arrête, s'essuie les lèvres avec sa serviette et laisse tomber un billet de vingt dollars sur la table.

— Qu'est-ce que tu fais ? je demande, perplexe.

— C'est moi qui paie – j'ai reçu la lettre : ma demande de bourse est en cours de révision. Et Dieu sait que je ne vais pas la refuser si j'ai ce bonheur-là. Mais de toute façon, je me sens comme un immense sac d'ordures.

Il se lève, noue brusquement son écharpe Burberry, et se glisse dans son trench. Sa sortie dramatique est digne d'une vedette de Hollywood.

Après une dure matinée, la flamboyance de Jake me fait enfin sourire. Jake n'est pas une ordure. Et s'il était une sorte de sac, ce serait un Louis Vuitton à tirage limité.

Maddie est assise sur un tabouret dans sa cuisine, à revoir des notes de cours, lorsque j'arrive pour discuter de la situation provoquée par Stella.

Je suis étonnée de voir, partout sur le comptoir de marbre, des papiers éparpillés, des tasses de café vides et des papillons adhésifs aux couleurs assorties. Maddie est tellement rangée, d'habitude ; c'est un peu rassurant de voir son désordre. Je me sens moins écervelée.

J'imagine qu'elle ne m'attendait pas si tôt : j'étais censée rencontrer Jonathan après l'école. Mais franchement, avec le tweet qui me pèse, je ne veux surtout pas démoraliser l'homme de mes rêves avec mes problèmes. Déjà suffisant que je lui aie parlé de ma brouille temporaire avec Jake, samedi. Je ne veux pas qu'il me prenne pour la reine du mélo.

Je préfère prendre un bain chaud et me glisser dans mon pyjama en flanelle. Je texte à Jonathan pour lui dire que j'ai une question imprévue à régler. Je prends la bouteille à moitié vide de rouge sur le comptoir pour m'en verser un verre.

— Oh, ma chérie, j'avais l'impression qu'il se tramait quelque chose. Est-ce que c'est à cause de la rivalité à l'école ? C'est la jungle, non ? dit Maddie tout en lisant ses notes.

— La jungle ? Non, je dirais qu'on est un cran plus haut. C'est l'avalanche de merde, je bafouille en retirant le bouchon.

Maddie me lance un regard curieux. J'imagine qu'elle n'a pas l'habitude de m'entendre parler ainsi, ni de me voir boire. Jake a une forte influence sur ma façon de parler.

— Allons, Clémentine. Est-ce que ça va si mal ?

— Ouais. C'est cette fille, Stella, celle qui vend des autocollants.

— Qui vend des autocollants ?

— Elle a lancé un commerce d'autocollants mode, des adhésifs qu'on fixe aux sneakers et aux sacs à main.

— Hmmm, je connais, il me semble. Je dois avoir lu ça quelque part, dit Maddie d'un ton intrigué. Qu'est-ce qu'elle t'a fait ?

Je lui montre le tweet et Maddie est stupéfaite.

— Oh, mon Dieu.

— C'est ce que j'ai dit. Et elle a un tas d'abonnés. Je ne comprends tout simplement pas pourquoi elle a fait ça.

Écoute, elle ne peut pas être jalouse, elle a beaucoup plus de succès que moi. Et subir ça après avoir remis l'argent de la bourse...

— Eh bien, euh... hum, hum... pas tout à fait... bafouille Maddie en me regardant d'un air penaud.

— Quoi ? Qu'est-ce que tu veux dire ?

— Le comité des finances qui a offert la bourse m'a appelée ce matin. Ils n'acceptent pas ton chèque. Le représentant a été impressionné par ton honnêteté, mais il croit que tu la mérites tout de même. Il a même soumis ta demande au comité d'éthique de l'école. Puisque je ne faisais pas partie du comité, il n'y a aucun conflit d'intérêts. L'argent t'appartient, Clémentine. Tu devrais t'en servir. Crois-tu que cette Stella redonnerait l'argent ? Je ne pense pas.

— C'est ce qu'a dit Jake. Je ne comprends pas comment elle a appris ça au départ.

— Une annonce officielle a été épinglée au tableau d'affichage dans les bureaux administratifs. C'est probablement là qu'elle l'a vue, avec ton nom complet : Clémentine Laurent Liu.

— Oh, merde.

Ma mère m'a donné son nom de jeune fille pour deuxième prénom, ce que j'ai toujours trouvé plutôt chouette, mais maintenant, ça ne me semble pas si génial. Stella a dû faire le lien avec le nom Laurent.

— Mais ses étiquettes lui rapportent un tas de fric. Qu'est-ce qu'elle aurait à se soucier de ça ?

— Oh, il y a tellement de raisons pour lesquelles les gens font les cons, Clémentine. La concurrence, l'envie... C'est peut-être juste une enfant gâtée.

Je prends une autre gorgée de vin. Ça m'aide à me détendre un peu.

— Tu as raison. Je garde l'argent. Tchin-tchin, au moins, à la fin d'une journée merdique.

Je lève mon verre. Je suis suprêmement française, ce soir. Tout va bien.

Maddie lève sa tasse de café à moitié vide contre mon verre.

— Je croyais que tu rencontrais Jonathan ce soir?

— J'ai annulé. J'avais le cafard à propos du tweet et je ne voulais pas gâcher notre rendez-vous.

— Je te parie l'argent de ta bourse que tu te sentiras mieux si tu sors t'amuser! C'est New York!

Je la regarde d'un air méfiant. J'ai le sentiment qu'elle me met à la porte et que c'est pour une raison particulière.

— Tu as rendez-vous?

Elle rougit.

— Pourquoi poses-tu cette question?

— C'est la première fois que tu essaies de me faire sortir… un mardi. Normalement, tu restes à la maison pour regarder Netflix.

— Très bien, tu gagnes. C'est vrai, quelqu'un vient dîner, m'annonce-t-elle en regardant sa montre. Et tu as le temps de prendre une douche et de te changer; il sera là à dix-neuf heures.

— Oh, c'est qui, "lui"? Je ne suis pas certaine de vouloir partir maintenant… Je vais rester, je crois.

— Ah non, vraiment.

Elle se lève et me guide en direction de ma chambre. Je texte à Jonathan et je fais jouer *Cheap Thrills* de Sia.

Soudain, je suis d'humeur à m'amuser. Je tournoie en suivant le rythme dans toute la chambre et m'effondre sur mon lit en pensant à Jonathan et à ses lèvres de rêve. J'ai tellement hâte de l'embrasser de nouveau.

Mon téléphone bourdonne en affichant le message parfait :

À tout de suite, ma douce Clémentine.

Chapitre dix-sept

— C'était rapide, dit Jonathan en s'assoyant devant moi à l'hôtel Wythe, à Williamsburg.

Il est vrai qu'après lui avoir texté, je me suis douchée et changée en un temps record. J'étais pressée de le revoir et Maddie était pressée de se débarrasser de moi. Ça faisait l'affaire de tout le monde, surtout que Jonathan est tellement sexy, ce soir. Je n'arrive pas à croire que j'ai failli ne pas le voir à cause d'une bisbille sur les réseaux sociaux.

Ce superbe hôtel est logé dans une usine historique, entièrement remise à neuf, sur les quais de Brooklyn. Je suis restée bouche bée en entrant dans le salon blanc aux lignes ultrapures, décoré de divans minimalistes et de fenêtres pleine grandeur avec vue sur l'Hudson. On dirait un de ces espaces éclatants et contemporains du profil Instagram de Garance Doré. La vue est incroyable, à la fois par la fenêtre et droit devant moi.

Jonathan porte un blue-jean délavé, des bottes de cuir brun clair et une chemise blanche Henley qui met en valeur ses bras sveltes et fermes. Le revoir et sentir de nouveau son odeur me donne la chair de poule.

Je porte un chemisier bleu pâle, une jupe midi vert et bleu, et des escarpins bleu roi. J'ai également enfilé à la hâte des boucles d'oreilles en forme de lustre et verni mes ongles avec Blue Boy de Chanel pour ajouter de l'éclat à mon ensemble et, ironiquement, pour cesser de broyer du noir.

Jonathan m'a doucement embrassée sur les lèvres quand je suis arrivée, et m'a tendrement prise par les épaules tout en me regardant dans les yeux. C'était l'accueil chaleureux et affectueux que j'espérais. Jusqu'ici, il ne m'a pas déçue.

Jonathan est assis devant moi sur le divan de cuir. Il commande deux cocktails sophistiqués dans des verres à martini.

— Gingembre, vodka et pamplemousse. J'espère que tu aimeras.

Je prends quelques petites gorgées et me délecte de la magnifique ambiance. J'ai l'impression d'être sur un pla teau de tournage – sauf que ce n'est pas de la fiction, c'est ma vie. Le fait d'être ici me fait oublier le ridicule épisode sur Twitter. Je ne vais pas le laisser gâcher ma soirée ni ma vie sociale. Stella n'en vaut pas la peine.

— Alors, qu'est-ce qui t'a fait changer d'idée ?

— Tous mes problèmes ont disparu comme par magie après que je t'ai texté, dis-je entre deux petites gorgées. Et puis ma coloc m'a fait quitter la maison. Elle a un rendez-vous galant.

Je souris.

Comme Jonathan n'en a rien dit, il n'a sûrement pas vu les bêtises de Stella sur Twitter. Je devrais probablement lui parler de Maddie. Je n'aime pas cacher des choses, surtout à l'homme avec qui je sors. Avant que je puisse dire quoi que ce soit, son téléphone s'allume avec une notification. On dirait un texto. Il le prend, le lit, puis devient rouge tomate. Il paraît gêné et range rapidement son téléphone. Je me demande de qui c'est... Son rougissement m'a rendue inquiète, mais je repousse ça et prends une petite gorgée de mon verre. Je me décide :

— Euh, je devrais probablement te faire part de quelque chose.

— Bien sûr.

Il lève un sourcil.

— C'est à propos de Maddie. Elle et moi sommes parentes. C'est la cousine de ma mère.

— J'avais l'impression que c'était le cas, mais j'attendais que tu m'en parles.

— Vraiment ? Comment donc ?

— Des traits particuliers, des expressions verbales et faciales semblables. Je remarque ce genre de chose. Je suis photographe, tu sais. J'ai tendance à faire un zoom sur les détails.

— Bien.

Il est si facile à vivre. Je songe à lui parler du tweet, aussi.

— Je trouve ça merveilleux. Maddie est géniale. Alors, c'est ta coloc ?

— Ouais. Et elle est super, en plus.

— J'en suis sûr.

Il sirote son verre et je me sens soulagée de lui en avoir parlé. En avant !

— Est-ce que ton problème de la journée avait quelque chose à voir avec ton ami Jake ? demande Jonathan. J'espère que vous vous parlez de nouveau, vous deux. Tu paraissais vraiment démoralisée à propos de ça.

J'aime le fait que Jonathan se rappelle ma prise de bec avec Jake. Il est attentionné et il écoute. Et ses cheveux… Mon Dieu, j'ai juste envie d'y passer les doigts. Bon, Clémentine, il faut que tu modères ta consommation d'alcool, sinon tu pourrais faire des choses regrettables.

— Non, ce n'était pas ça. Cette histoire avec Jake concernait ma bourse. C'est réglé, dis-je en me rappelant avec affection les excuses de mon ami.

— Tu veux dire celle que tu as refusée? demande Jonathan en secouant la tête et en grimaçant.

— En fait, plus maintenant. Il y a eu un revirement.

— Quoi? Je n'arrive pas à suivre!

Il lève les bras de désespoir. Puis, il fait un signe au serveur pour commander une autre tournée. On est sur une pente savonneuse, ici. Je n'ai pas l'habitude de boire autant d'alcool; ça ne me réussit pas.

— Le comité qui m'a accordé l'argent a refusé de le reprendre. Ils ont insisté pour que je le garde. Alors, maintenant, j'ai l'argent nécessaire pour démarrer mon blogue, après tout.

Je lève de nouveau mon verre de martini vide. Cette fois, il trinque avec moi et m'embrasse.

Je sens l'alcool me monter à la tête et ça me rend anxieuse. Pour une raison quelconque, au lieu de me faire perdre ma timidité et de me mettre à l'aise, ça ramène toutes mes vieilles insécurités à propos de ce qui s'est passé avec Charles, mon ex. J'imagine que c'est ce qui se passe quand on a été profondément blessé. J'essaie de ne pas y penser.

— Tu mérites de garder l'argent. On a tous besoin d'un coup de main pour démarrer. Je me rappelle l'époque où j'ai décidé de faire de la pige, j'ai eu un mal fou à joindre les deux bouts.

Jonathan se frotte les mains et je remarque à quel point elles paraissent fortes avec ces bracelets de cuir à ses poignets.

— As-tu reçu de l'aide ?

— Non, pas vraiment. Mon oncle m'a aidé un peu. Il m'a permis de dormir sur le divan de son appartement à Chelsea pendant que je cherchais des contrats. C'est à peu près tout. Le reste, c'était beaucoup une question d'effort et de cœur.

Je fonds. Je suis amoureuse d'un homme qui travaille fort pour atteindre ses buts. Pas comme Charles, qui était un enfant gâté pourri.

— Ma famille n'était pas dans une bonne position pour m'aider financièrement, poursuit-il. C'est comme ça, c'est tout.

— Et maintenant, regarde-toi : ton œuvre est exposée dans des musées et des galeries de toute la ville.

Je lui touche le bras avec un doigt en faisant un bruit de grésillement. L'électricité que je sens n'a rien de factice, et ce n'est pas lui qui brûle : c'est moi.

— Eh bien, je suis seulement l'un des milliers de photographes qui couvrent la Semaine de la Mode à Manhattan, mais j'accepte ton compliment. Je ne peux pas m'imaginer faire autre chose.

— Je vois bien pourquoi. Tu es tellement talentueux. Et respecté dans la presse, aussi. J'ai lu cet article à propos de toi dans le *Village Voice*. Bien mérité.

Pour une étrange raison, une montée de tristesse m'envahit. Je fixe mon verre de martini. C'est peut-être l'alcool qui me monte à la tête, mais parler des médias me rappelle le tweet de Stella.

— Qu'est-ce qu'il y a? demande Jonathan. Je ne veux pas être indiscret, mais… le problème que tu avais plus tôt, est-ce qu'il est… vraiment résolu?

Il semble préoccupé. Sa sollicitude me touche.

Je soupire.

— C'est à propos de cette fille à l'école, je finis par avouer avec l'aide de la vodka. Elle a tweeté quelque chose de méchant à propos de moi, mais je m'en suis remise. Ça va, dis-je en mentant.

— En es-tu certaine? On ne dirait pas, dit-il en tendant la main vers mon menton et en le frôlant délicatement de ses doigts. Ce qui est sur Twitter laisse une trace. Qu'est-ce qu'elle a dit?

Il se rapproche, l'air d'un expert en stratégie média. Je suis reconnaissante de le voir se tracasser, mais je suis gênée de parler de ce ridicule crêpage de chignon. Ça me donne l'impression d'être faible.

Je respire à fond. C'est humiliant.

— Eh bien, si tu veux vraiment savoir, elle a tweeté que je n'ai eu une bourse que parce que je suis de la même famille que Maddie.

— Pardon? s'exclame-t-il en crachant presque sa gorgée. Elle a un problème ou quoi?

— Je me suis posé cette question un million de fois. Je n'en ai aucune idée.

— Tu ne peux pas te contenter de garder ça pour toi, Clémentine, déclare-t-il avec assurance. Tu ne peux pas laisser passer ça. Sinon, elle va te marcher sur les pieds. C'est le mode d'opération des tyrans.

— C'est ce que m'a dit Jake. Je vais lui donner tort en ayant un succès immense. C'est ma stratégie.

— Je ne veux pas te dire quoi faire, mais je pense qu'il te faut un autre plan de match. C'est New York. Les gens sont coriaces. Elle ne fera qu'une bouchée de toi si tu la laisses faire.

— Jake a dit ça, aussi. Qu'est-ce que tu proposes ? je lui réplique en prenant une petite gorgée.

Je suis jeune, mais pas naïve. J'ai mes propres idées sur la façon dont il faut s'occuper de tout ça. Mais je vais écouter avec bonheur ce que Jonathan a à dire. Je sais qu'il veille sur mes intérêts.

— Un jour, un propriétaire de galerie de New York m'a volé l'une de mes photos sur Instagram, l'a fait agrandir et l'a vendue pour des milliers de dollars sans mon consentement. Il y a toutes sortes de gens sans honneur, en ligne. Mais j'ai tiré ma leçon et maintenant, j'ai des gens qui s'occupent de ces choses. Je connais un avocat qui pourrait t'aider.

— Un avocat ?

Sa suggestion m'étonne. Pourquoi embaucherais-je un avocat pour un tweet ridicule ?

— C'est peut-être exagéré. Je ne veux pas dépenser tout l'argent de ma bourse en frais juridiques ; ce n'est tout simplement pas productif, dis-je.

—J'ai une bonne amie qui a un petit cabinet, ici à Brooklyn. Elle te donnera de bons conseils. Pourquoi ne l'appelles-tu pas? Elle ne te demandera pas un sou, je te jure.

Il prend son téléphone et me texte les coordonnées de la femme. Je souris avec reconnaissance. Avoir un conseil supplémentaire, juste au cas, ça ne peut pas nuire.

— D'accord, je vais y penser. Merci.

— Bien. Je suis content que ce soit réglé.

Il se lève du divan de cuir blanc et vient s'asseoir à côté de moi.

— Maintenant, on peut passer aux choses importantes.

Il pose les doigts sur mon menton et nous nous embrassons pendant un long moment. Je ne pense plus au fait que nous sommes dans un bar, que je n'ai pas l'âge légal pour boire et, surtout, que j'ai été harcelée par Stella.

Et je finis par toucher à cette délicieuse chevelure.

Chapitre dix-huit

— Alors, Clem, as-tu dormi ? me demande Jake le lendemain matin.

Nous sommes assis à la cafétéria de l'école avant le cours. Il a apporté une boîte de minicupcakes pour m'aider à me remettre de la saga Twitter d'hier – il m'a offert les gâteaux roses et s'est gardé ceux au chocolat.

— Oui, j'ai dormi, je réponds avec assurance.

Je ne lui ai pas encore parlé de mon rendez-vous de rêve.

Aujourd'hui, Jake assiste au cours de création de Maddie ; ils vont travailler avec les tissus et les motifs, et il va utiliser le tissu qu'on a choisi ensemble. Il s'est habillé en conséquence : il a l'air fringant en chemise à carreaux, pantalon en denim foncé, avec un nœud papillon coloré assorti à ses chaussettes aux couleurs vives. Il porte une mallette garnie de pochettes pêche et bleu pâle. Ce look BCBG *new wave* avec une touche personnelle, ça lui va à merveille. Je vois qu'il est emballé.

Après un cupcake et une gorgée de café, je balaie la salle des yeux. Certains camarades de classe me lancent des coups d'œil étranges. En fait, on dirait davantage des regards de travers ou interrogateurs et des sourcillements. Un côté de moi, le côté sensible, veut ramper sous la table et sangloter. J'imagine qu'ils me prennent tous pour une fraudeuse. Je trouve incroyable à quel point les gens sont prompts à me juger à partir d'un seul tweet. Mais je décide de garder la tête haute et de dévorer un autre cupcake rose à la place.

— Tu ne sembles pas avoir les nerfs à fleur de peau à cause de Stella. On dirait plutôt que c'est ton amoureux que tu as dans la peau, lance Jake avec un sourire entendu.

— Qu'est-ce que tu veux dire ?

Je sais de quoi il parle, mais je reste évasive.

— Tu as l'épiderme irrité sous le menton, mon chou. Il y a eu des frottements, on dirait.

Il soulève ses lunettes de son nez pour inspecter ma peau de près, et je le chasse du revers de la main comme une mouche agaçante.

Il est vrai que Jonathan et moi avons passé un temps considérable à nous embrasser hier soir ; d'abord au bar de l'hôtel, puis sur un banc de parc en route vers chez moi. Sa barbe de plusieurs jours s'est délicieusement frottée contre ma peau et j'en ai apprécié chaque seconde, jusqu'à ce que je me réveille ce matin avec un menton endolori et les commentaires lourds de sous-entendus de Maddie. Elle savait exactement ce que c'était. Pour me soulager, elle m'a donné une pommade magique. Je n'ai pas eu la chance de lui demander des nouvelles de son propre rendez-vous avec son visiteur secret. On y viendra plus tard – les filles, ça veut tout savoir.

— Oui, on s'est embrassés passionnément. Mais c'est tout.

Il sourit de ma réplique et lève un sourcil.

— Puisque tu le dis, ma chérie. Assure-toi de ne pas le laisser entrer trop vite dans ta petite culotte griffée. Comme je te l'ai dit : c'est un photographe de mode. Ces gars-là ont une réputation.

Je sais qu'il blague à moitié et qu'il parle ainsi par égard pour moi… mais j'ai attendu une éternité avant d'avoir des rapports intimes avec Charles, et maintenant, avec le recul, je le regrette tellement. Quelle erreur ! J'ai perdu ma virginité avec un salaud, et il m'a laissée profondément marquée sur le plan émotionnel. Et je ne connais pas encore le passé amoureux de Jonathan. Probablement parce que j'étais tellement empêtrée dans mon propre drame. Est-ce que j'ai envie de Jonathan ? Bien sûr. Plus intensément chaque fois qu'on s'embrasse. Mais je veux aller lentement, surtout après avoir été blessée. Je veux juste éviter d'autres regrets.

— Alors, as-tu songé à ta stratégie de revanche ? demande Jake avant de dévorer un autre cupcake au chocolat.

Je vois que ces minicupcakes le stimulent. Il ne va pas lâcher prise.

— Jonathan et moi en avons parlé hier soir. Comme toi, il croit que je devrais riposter. Je pense encore que la meilleure stratégie, c'est vraiment de me concentrer sur mon blogue. J'ai contacté un développeur Web à la pige, ce matin, et il va commencer à construire la version bêta de Bonjour Girl. J'ai également ouvert des comptes de réseaux sociaux pendant le week-end, et je suis inscrite à la table ronde *Femmes et technologie* à l'école, cet après-midi. Elle est animée par la fondatrice de Free Fashion.

J'adore Free Fashion, un populaire portail de création.

— Bravo, Clem! Mais avant de lancer ton site Web, tu devrais sérieusement remettre Stella à sa place. Sinon, elle va te harceler de nouveau et elle pourrait vraiment nuire à ton image. Je te dis ça en passant, ajoute Jake en prenant un autre petit gâteau. Méfie-toi, mon amie.

Au moment même où il dit ça, j'aperçois du coin de l'œil Ellie qui entre au café. Elle me fait un petit signe de la tête et un sourire crispé. Je suis sûre qu'elle a entendu parler du *fucking* tweet ou qu'elle l'a lu. Je ne sais pas du tout pourquoi elle continue de me regarder ainsi. C'est tellement bizarre. J'ai l'impression que le monde s'est ligué contre moi. Je déteste me sentir aussi mal dans ma peau.

— Jonathan m'a suggéré de parler à son avocate. Au départ, je me suis dit que c'était un peu beaucoup, mais ce n'est peut-être pas une si mauvaise idée.

— Pourquoi pas? Ça ne peut pas nuire. Et puis, j'aimerais que tu la poursuives à mort.

À vrai dire, tous ces conseils gratuits me rendent plus anxieuse et désorientée. Je sais que je peux me débrouiller toute seule – seulement, je n'ai pas encore décidé ce que je veux faire. J'essaie d'imaginer ce que ferait Elizabeth Bennett, le personnage principal d'*Orgueil et préjugés* de Jane Austen:

Il y a chez moi une obstination dont on ne peut facilement avoir raison, dit-elle. Chaque essai d'intimidation ne fait qu'affermir mon courage.

Je fais mentalement un *high five* à Jane Austen. C'est comme ça que je veux me sentir.

— Et toi, Jake ? dis-je parce qu'il est temps de changer de sujet – assez parlé de Twitter. As-tu fait des progrès avec ta collection ?

— Alors que tu étais occupée à échanger de la salive avec ton joli garçon, j'ai rencontré Adelina, ma nouvelle muse, pour prendre un verre en fin de soirée. J'étais gonflé à bloc : on est allés chercher des tissus rétro et elle a accepté de montrer le nouvel ensemble que j'ai créé dans ce tissu génial que tu as choisi pour moi.

— Wow, c'est vraiment cool. Je ne suis pas étonnée qu'elle ait accepté. Tu es insurpassable.

— Merci, chérie. Et c'est rien encore. Après le bar à vin, je l'ai emmenée dans le commerce de mes parents et on s'est mis à se déguiser. On a fait un podium impromptu dans l'arrière-boutique, à présenter de vieux vêtements abandonnés par des clients. C'était tordant ! Laisse-moi te montrer ces photos qu'on a prises.

Il sort son téléphone, devenu géant à cause d'une coquille en plastique, et je rigole. C'est tellement anti-mode qu'il parvient à en faire un objet tendance.

Alors qu'il fait défiler les innombrables selfies, je ne peux que ressentir un pincement de jalousie. Le fait qu'il ait partagé un moment de mode impromptu avec une autre blogueuse qui adore le rétro autant que moi me glace le sang. Est-ce de la jalousie féminine ? Suis-je si possessive envers mon ami ? Sur les photos, je vois l'immense sourire sur leurs visages et l'étincelle dans leurs yeux, et je ne peux qu'imaginer la scène. C'est comme au cinéma, je le jure.

— Mon Dieu, Clem, cette femme est tellement drôle, je me tordais de rire. Elle n'a pas de sang français, mais dis donc, qu'est-ce qu'elle porte bien un béret ! dit-il en désignant une photo fascinante d'Adelina, l'air incroyable avec une robe noire en dentelle, un collant génial et un béret rouge. Le fait d'être en fauteuil roulant lui donne un air farouche et encore plus irrésistible.

Par comparaison, j'ai l'impression d'être une douche froide. J'essaie de cacher ma réaction.

Pourquoi suis-je jalouse de l'amie de Jake ? Est-ce parce qu'il comble une autre d'attention ? Et puis j'ai passé un moment tellement incroyable avec Jonathan, aurais-je préféré être avec Jake ? Un tourbillon d'émotions m'enveloppe et m'envahit les sens.

— Vous avez tous les deux l'air fabuleux... quel duo vous faites !

Je m'excuse et me précipite aux toilettes des dames, les larmes aux yeux. J'ignore complètement d'où viennent ces ridicules émotions, mais j'essaie de les écarter, du moins pour l'instant.

Chapitre dix-neuf

— Pour qu'un auditoire "embarque" vraiment en ligne, il doit y avoir un récit réalisé avec art, conseille la directrice de création de Free Fashion à son lectorat au cours de ses remarques préliminaires à la table ronde *Femmes et technologie*, plus tard cet après-midi-là.

J'adore le fait que Parsons invite les chefs de file de l'industrie à parler de questions actuelles – il y en a quatre à cette seule table ronde. J'ai vraiment hâte d'entendre leur point de vue sur ce qui se passe, et ça me met en joie.

Je décide d'arriver tôt et de m'asseoir à la première rangée. Stella sera sans doute là aussi, avec son escouade. Elles s'assoient généralement au fond de la salle. Normal, me dis-je : c'est la place qui leur revient ; elles ne seront jamais des créatrices de premier plan.

Après avoir griffonné quelques notes, je tends le cou pour voir si je peux repérer Stella dans la foule. Elle n'est pas encore arrivée. Je prends une seconde pour fermer les yeux et imaginer de la lumière blanche qui se déverse sur moi pour me protéger de toute énergie négative, un truc que j'ai appris de Cécile il y a longtemps, quand, petite, je souffrais d'anxiété. Ça me remplit de force et de courage. Si Stella essaie de me faire un autre coup fourré, je ne me laisserai pas atteindre. J'essaie aussi de m'imaginer dans quelques années, dans une robe adorable et des talons hauts, debout devant cet auditorium, en train d'expliquer aux étudiants de Parsons les stratégies que j'ai utilisées pour faire de Bonjour Girl un grand succès. Ça me fait sourire et oublier le négatif.

— Il faut comprendre que le contenu original est essentiel, dit sérieusement Susie Lau (alias Susie Bubble, fondatrice du célèbre blogue de mode Style Bubble).

Elle est venue parler du pouvoir du récit dans la mode. J'admire son style excentrique, son incroyable site Web et sa façon de parler avec assurance. Elle est un modèle pour moi. J'aime aussi ce qu'elle porte aujourd'hui : une robe à manches longues, jaune vif et noire, couverte de grandes pivoines. Elle chausse des babies en cuir verni et des chaussettes à fanfreluches blanches et jaunes. Le look est féminin et mignon sans être trop excentrique.

Je pige ce qu'elle dit : il est important de se distinguer. Les sites Web et les blogues les plus intéressants sont ceux qui présentent les idées les plus originales. Exemple typique : Man Repeller, de Leandra Medine. Elle a élaboré une plateforme populaire sur l'idée que même si des styles de mode peuvent rebuter des hommes, ils sont tout de même marrants à porter.

— L'art du récit n'est qu'un élément de l'expérience aux multiples facettes auxquelles s'attendent les consommateurs et les lecteurs d'aujourd'hui de la part des concepteurs, des blogueurs, des sites Web et des détaillants. L'essentiel est d'équilibrer cette composante par la créativité, afin de créer une trame narrative inoubliable, dit la PDG de Free Fashion.

Je prends des notes à toute vitesse lorsque j'entends tinter mon téléphone. Je me raidis. Je tourne discrètement la tête pour savoir si Stella est arrivée au colloque. Mon estomac se noue, mes paumes deviennent moites et j'ai la bouche sèche. Merde, elle est là. Elle est assise au fond de la salle et me surprend en train de regarder dans sa direction. À son tour, elle me lance un air dur, avec un petit sourire satisfait de prédateur, genre faucon observant sa proie. J'imagine le pire. Je sors lentement mon téléphone de ma poche de veste et voilà le tweet qui m'éblouit dans toute sa gloire malveillante :

> @ClementineL est une lèche-bottes. Attendez-vous à ce que tout le contenu de l'événement d'aujourd'hui soit recopié sur son blogue ridicule.

Je m'enfonce dans mon siège et j'imagine la pièce entière qui éclate de rire en me pointant du doigt. Je me sens tellement idiote. Je me mets à trembler et j'imagine tous les abonnés Twitter de Stella en train de ricaner à mes dépens. Je comprends pourquoi la cyberintimidation peut blesser autant. Tu te sens petite, genre vraiment, vraiment, petite, et affreuse à l'intérieur. Comme si tu voulais disparaître à jamais de la surface de la Terre.

Des larmes me montent au coin des yeux. Voilà : je n'en peux plus. J'en ai assez.

Il faut que je contrecarre les plans de Stella en vue de détruire ma réputation, sans du coup m'enfoncer. Je texte à Jonathan :

Faut que je te parle au plus vite.

En quelques secondes, il répond :

Ça va ?

Nan.

Qu'est-ce qui se passe ? Tu veux qu'on se rencontre ?

OUI. S'il te plaît et merci.

Je suis à une réunion chez Joe Coffee. Te vois à l'entrée dans 10 minutes.

Parfait xo

Soulagée, je ferme le téléphone et laisse disparaître dans le cyberespace tous ces tweets et ces rctwccts. Si quelqu'un veut rire à mes dépens, soit. J'ai un magnifique supporteur qui m'attend et qui défendra mes intérêts et me réconfortera.

Je ferme mon carnet et, après les dernières remarques des invités, je me lève et marche à grands pas, avec assurance, en remontant l'allée principale de l'auditorium. Juste avant de passer devant Stella et son vilain entourage, je lève le médius en l'air, renverse la tête d'un air de défi, et ris tout haut.

J'essaie toujours de faire la fierté de ma mère, et je suis sûre que Cécile serait ravie, elle aussi.

À la santé d'une lignée de femmes fortes et fougueuses. Je n'oserais pas décevoir mes ancêtres.

Chapitre vingt

« Être courageux, ce n'est pas être complètement dépourvu de peur ; c'est sauter même si on est terrifié. »

Ces paroles de Taylor Swift, que j'ai lues il y a un moment dans un magazine de mode, résonnent au fond de moi alors que je sors en courant de l'auditorium de Parsons et monte au rez-de-chaussée pour rencontrer Jonathan.

Avais-je peur de faire ce geste en public ? Oui, bien sûr. Mais par-dessus tout, je nage en pleine euphorie. Il est clair que la méchanceté de Stella n'a aucune limite, mais ma volonté de la repousser est assez forte, aussi. Je voudrais seulement que Jake se soit trouvé à mes côtés quand j'ai dressé le doigt ; je sais qu'il aurait hurlé de fierté. Il faut que je lui texte ça, plus tard. À présent, j'ai une question beaucoup plus pressante à régler et elle concerne un homme brillant et séduisant.

Transportée par mon geste impertinent, je me rue dans les escaliers, deux marches à la fois, en bottes de daim. Je vois Jonathan qui m'attend en haut, et mon cœur explose presque lorsqu'il me fait un signe de la main. Je marche vers lui et saisis son blouson en denim, l'attire tout près et l'embrasse passionnément, sur place, devant l'entrée de l'école. Quelques camarades de classe me lancent des regards de côté, mais je m'en fiche. J'ai fini de m'en faire à propos de ce que pensent les autres. C'est une grave maladie que je ne veux pas contracter.

— Wow, Clémentine. Je ne m'attendais pas à ce que tu sois aussi…

Sa voix s'estompe alors qu'il me lance un regard incrédule.

— Folle de joie de te voir ? dis-je en riant après avoir reculé d'un pas.

Il écarte une fine mèche de cheveux de mon visage.

— Ouais, on peut dire, j'imagine.

Il me lance un regard curieux, soulève un sourcil, et me serre contre lui.

— Peu importe, dit-il, j'aime ça.

Il m'embrasse à nouveau.

Du coin de l'œil, je remarque Jake qui vient vers nous. Il fait une grimace et, même si j'ai terriblement envie de le présenter à Jonathan et de lui parler de l'épisode de Stella, il secoue la tête et fait semblant de ne pas me voir. Puis, il lève le pouce au moment d'entrer dans l'édifice principal de l'école, me donnant ainsi son sceau d'approbation. J'imagine qu'il n'a pas encore lu le tweet.

J'aimerais pouvoir répondre de la même façon, mais je me contente de sourire.

— Alors, si on faisait une virée en ville ? je demande effrontément à Jonathan.

Je n'ai pas l'habitude de prendre les devants dans ce genre de situation, mais quelque chose s'est réveillé au fond de moi. Ce doit être cette tendance à faire la fête, que j'ai héritée de ma mère.

— Qu'est-ce que tu entends par une virée en ville ? Tu penses à quoi ? demande Jonathan, l'air décontenancé par ma proposition.

— Je suis prête à me laisser aller. Je veux m'amuser.

C'est comme si je sortais de mon corps.

— Où ? Dans un bar ? suggère-t-il, les mains dans ses poches, l'air plus sexy que jamais.

Je ne sais pas pourquoi, mais je me contente de hocher la tête. Je ne suis pas du genre à aimer les boîtes ou la vie nocturne, mais je veux sortir de ce milieu empoisonné, et pour un soir oublier mes camarades de classe.

Debout devant moi, Jonathan passe une main dans ses cheveux en désordre et pose un index sur ses lèvres, comme s'il réfléchissait à nos options. Il ne s'attendait manifestement pas à ce genre de question. Je me demande s'il est bien versé dans la nuit new-yorkaise. Même si Maddie aime à le qualifier à la blague de pantouflard végétalien, quelque chose me dit que Jonathan est, ou du moins a été, du genre à faire la fête.

— Très bien, Clémentine, tes désirs sont des ordres.

Il me prend la main et nous courons vers la Cinquième Avenue pour héler un taxi. Le soleil s'est couché sur Manhattan et je sens déjà bourdonner le frémissement de la vie nocturne de New York. Si on débarque sur le fabuleux et chic circuit des boîtes, je ne suis pas assez bien vêtue avec mon jean à taille haute, un simple t-shirt et un blouson en cuir rose, mais je m'en fiche.

Une fois dans le taxi, je sors mon téléphone, mais je sens vite monter une boule dans ma gorge en le voyant illuminé d'innombrables notifications. Rien à foutre – je le flanque dans mon sac.

— Ça va ? demande Jonathan avec un air soucieux.

— Oh non, mais ça va aller.

Malgré mon attitude culottée, je sens encore la morsure du deuxième tweet de Stella. Si je le relis ou que je lui en parle, je vais sans doute disjoncter et pleurer.

— S'il te plaît, garde ce téléphone dans ton sac. Ce soir, c'est juste toi et moi, dit Jonathan avant de passer ses doigts entre les miens.

Après qu'il a donné des indications à notre chauffeur (« Lower East Side, *please* »), je frémis d'anticipation. Je l'examine de près : les poils de son menton, ses yeux d'un brun liquide et sa chemise blanche collée sur sa peau. Il frotte sa paume contre la mienne et je sais tout simplement que cette soirée sera mémorable.

Juste avant que le taxi s'arrête, il me regarde dans les yeux.

— Très bien, Clémentine. Avant notre virée en ville, il va falloir te nourrir un peu. Pas question d'aller en boîte avant de manger.

— C'était délicieux.

Après mon deuxième gâteau à la courgette, je m'essuie le menton avec ma serviette.

— Merci de m'avoir emmenée ici. J'adore ça, dis-je en contemplant l'espace moderne et tout blanc qui m'entoure.

J'imagine que Jonathan a un goût pour les espaces blancs. C'est génial : je les adore, moi aussi.

On est au Dirt Candy, un restaurant végétarien primé. À New York, c'était le premier spécialisé dans les légumes, et le premier à éliminer le pourboire et à partager les profits avec ses employés. J'adore tout de cet endroit, surtout la compagnie.

— Alors, où on va ? je demande tandis qu'il m'embrasse la main.

— Es-tu sûre de vouloir sortir ? La veille d'une journée d'école ?

Je lui fais un sourire coquin. Le verre de rouge que j'ai pris au dîner m'a mis le cœur en fête.

— D'accord, alors. Allons-y, enchaîne-t-il.

Après une courte promenade, Jonathan nous emmène au Mehanata, une boîte de nuit bulgare, célèbre pour ses fêtes endiablées, son obsédante musique techno et une super chambre froide avec de la vodka.

— C'est un endroit où tout peut arriver. Beaucoup d'amateurs de vie nocturne le négligent, m'informe Jonathan après que nous avons mis nos manteaux au vestiaire.

On dirait bien qu'on vient d'entrer dans un univers complètement différent, loin de New York. J'ai remarqué que Jonathan a glissé un billet de vingt dollars dans la main du videur pour qu'il nous laisse entrer rapidement. Sinon, j'aurais sans doute été refusée, car je n'ai pas de fausse carte d'identité. Ce comportement clandestin m'excite encore plus.

— Cet endroit est incroyable !

Je n'ai jamais rien vu de tel. C'est une *party house* d'Europe centrale. Je brûle de l'explorer.

— Ton choix est super, je lui dis à l'oreille.

— Je suis content que tu l'aimes. Sinon, où pourrais-tu t'asseoir sur des balançoires au bar, danser sur du punk et du R&B et te rendre en Bulgarie sans quitter la ville ? me crie-t-il à l'oreille.

J'attrape une bouffée de son parfum et j'ai les genoux en gélatine. Je suis enivrée par l'odeur sexy de Jonathan, la musique forte, avec son battement lourd et sourd, et la vibration sensuelle du Lower Manhattan. Maintenant, je vois pourquoi New York est « la ville qui ne dort jamais ». Il y a ici une énergie brute que je n'ai jamais connue avant. Je pourrais vraiment m'accoutumer à cette vie nocturne. Malgré mes sentiments conflictuels, je comprends maintenant pourquoi ma mère l'aimait tant quand elle est venue en tournée ici.

Jonathan me tend un verre de vodka, la spécialité maison, et je l'avale d'une seule traite. Puis la serveuse nous offre un deuxième verre aux frais de la maison. Je sais que si je le prends, je ferai sans doute des choses regrettables. Mais en quelques secondes, je décide de faire cul sec. L'alcool brûle délicieusement ma gorge, et je prends Jonathan par le bras pour l'attirer vers la piste de danse.

La musique lancinante, la vibration hippie et les gens incroyablement séduisants qui m'entourent me mettent dans une transe hypnotique qui envahit tous mes sens.

Jonathan et moi dansons joue contre joue sur la pulsation de la musique. Il me tient par la taille et commence à me bécoter l'oreille. Je renverse la tête lorsqu'il m'embrasse le cou, lentement et délicieusement. Puis, il soulève l'arrière de mon t-shirt et, de ses doigts, remonte le long de ma colonne vertébrale et descend au creux de mes reins. Sa main ferme sur ma peau envoie des ondes de choc dans tout mon corps. Je le colle contre moi et l'embrasse comme je ne l'ai jamais fait avec un homme. Un désir brûle au fond de moi. J'épouse son rythme et, lentement, toutes mes inhibitions s'envolent. Je perds la notion du temps et j'oublie les gens qui nous entourent alors que nous oscillons sur le remix sensuel de *How Deep Is Your Love* de DJ Calvin Harris. Les paroles m'hypnotisent et je pose les questions qui tourbillonnent autour de ma tête : « Quelle est la profondeur de son amour ? Profond comme l'océan ? Jonathan est-il attaché à moi ? »

Je promène mes doigts dans son dos et m'accroche à lui alors que nous bougeons sur le rythme sexy.

Quelque chose me dit que cette soirée sera mémorable à bien des égards.

Chapitre vingt et un

Le lendemain, je suis réveillée par un bip du téléphone, mais je ne sais pas trop si c'est réel ou si je rêve – et si c'était un cauchemar? Je me roule et j'enfouis mon visage dans l'édredon pour éviter d'affronter la réalité. Quand je prends enfin mon courage à deux mains, je m'aperçois que je me trouve dans un lit inconnu, uniquement vêtue de mon caraco rose et d'un bas de pyjama d'homme. Et j'ai mal à la tête. Beaucoup. Mes yeux sont plissés et je les laisse parcourir la chambre: je suis dans un loft, avec des meubles modernes. Les murs sont couverts de photos noir et blanc, et des vêtements sont éparpillés sur le plancher. Mes vêtements. Je suppose le pire: dans un moment de faiblesse, j'ai perdu les pédales et j'ai fait l'amour comme une folle à un homme que je connais encore peu. J'ai bafoué mes principes et tous les conseils de Jake. La triste vérité, c'est que je n'ai pas grand souvenir de ma fin de soirée. Après les verres de vodka, c'est le blackout.

La honte m'envahit. Qu'est-ce que j'ai fait? Ça ne me ressemble pas. J'ai vu suffisamment de drames pendant le mariage de mes parents pour comprendre les effets du manque de retenue, et ce n'est pas joli. Est-ce de l'auto-sabotage? Peut-être bien: c'est de famille. J'essaie peut-être de monter un drame pour éviter de souffrir davantage. Si c'est le cas, il faut que ça cesse.

Jonathan entre dans la chambre avec deux espressos dans des tasses minuscules. Il porte un pantalon de jogging et un t-shirt blanc. Il a les cheveux extrêmement ébouriffés, ce qui le rend encore plus sexy. J'aimerais me rappeler ce qui s'est passé. J'ai l'impression de me trouver dans la pub télé d'un café recherché, avec en moins l'élégance de la coiffure et du maquillage. Je ne me suis pas encore vue dans une glace, mais j'imagine que je parais aussi moche que je me sens.

— Salut, beauté.

— Salut.

J'imagine que ça ne le dérange pas. C'est déjà ça. Je voudrais courir à la salle de bain pour me brosser les dents. Je sais que j'ai une haleine de lendemain de veille.

Je fais un sourire timide. Je me couvre la poitrine avec les draps. Je suis incroyablement gênée.

— Quelque chose pour t'aider à commencer la journée.

Je prends la tasse et détourne le regard.

— Merci. J'en ai bien besoin.

Il pose la paume de sa main sur ma tête, puis passe les doigts dans mes cheveux. Aïe, j'ai des élancements dans le crâne. Mais je n'ose pas lui dire d'enlever sa main ; sa caresse est à la fois douce et apaisante. J'ai des flashbacks de nous : des shooters au bar et de la danse. Beaucoup de danse. Peut-être d'autres shooters. Le battement lourd et fort se réverbère encore dans mon esprit.

— Tu étais en feu, hier soir.

Il m'embrasse sur le côté de la tête. Je n'ai aucune idée de ce qu'il veut dire. Est-ce une référence au sexe ou à la fête ? Tout en sirotant mon café en silence, j'attends qu'il me donne d'autres détails. Je me sens comme une alcoolo finie.

— Tu étais une véritable machine à danser. La boîte entière était fascinée par tes mouvements, tout comme moi.

— Vraiment ?

Je ne me rappelle rien de ça. Je veux m'évader de cette pièce, de cette conversation et de ma peau.

— Tu ne te rappelles pas le numéro de *pole dancing* ? demande-t-il, incrédule.

Oh non. S'il te plaît, non. Je me mets à trembler et je manque de renverser du café sur les draps blancs. Dieu merci, je me ressaisis avant que ça se produise.

— Le quoi ?

— Il y avait ce poteau au fond de la piste de danse, et bon, disons seulement que tu as exécuté tout un numéro.

Oh my god. Je n'arrive pas à croire que j'ai fait du *pole dancing* devant Jonathan. J'ai sans doute livré ce numéro de burlesque appris à l'école de danse à Paris. Ma mère avait voulu faire cette expérience pour ajouter du piquant à son mariage (j'ai tellement honte) et m'avait emmenée. On a bien ri, ce jour-là. J'imagine que j'ai hérité de la présence scénique de ma mère. Bon, plus ou moins.

— J'espère que je ne t'ai pas mis dans l'embarras, dis-je calmement.

— Dans l'embarras ? Oh non, tu étais la boute-en-train de la soirée. Des inconnus sont venus me voir pour me demander qui tu étais.

— Ah merde. J'espère que tu ne leur as pas donné mon nom ni mon numéro. J'essaie de lancer une entreprise en ligne.

Mais il est pénible d'essayer de faire de l'humour quand on a un mal de tête atroce.

— Non, bien sûr que non. Je voulais te garder toute à moi, répond-il avant de s'approcher pour me serrer dans ses bras.

— Alors… est-ce qu'on a…? je demande finalement, les joues cramoisies.

C'est tellement gênant.

Il sourit, puis secoue la tête.

— Non, Clémentine. On n'a pas fait l'amour. Mais tu as vraiment tenté de nous y amener.

— Vraiment?

Je ne sais pas du tout quoi répondre. Pourquoi est-ce que je me sens aussi idiote?

— On s'est pelotés en revenant ici, mais je me suis arrangé pour qu'on garde la plupart de nos vêtements.

Je lève des yeux reconnaissants. J'avais raison à propos de lui : Jonathan est un gentleman.

— D'accord, il y a eu des papouilles. Mais minimes, lance-t-il à la blague en m'embrassant tendrement sur l'épaule. As-tu faim?

— Euh, pas vraiment. Quelle heure est-il?

— Huit heures.

— *Oh my god*. Où est mon téléphone? je dis en songeant à Maddie, qui doit être folle d'inquiétude à force de me chercher.

— Je l'ai caché. Quelque part par là.

Il désigne le divan du salon.

— Tu l'as caché ? Pourquoi ?

— Tu le cherchais hier soir, quand on est arrivés. Tu voulais envoyer un message hostile à Stella. Je ne voulais pas être responsable de textos écrits parce que tu avais trop bu.

Il fait un clin d'œil.

Tout ça me revient, à présent : le sale tweet à l'auditorium. Qui explique tout cet alcool et cette conduite délirante sur la piste de danse. J'essayais de noyer ma peine et même d'oublier tout ça. À vrai dire, ça me semble bien pire, à présent.

— Merci de m'avoir protégée de moi-même, de bien des façons.

Je tends le bras et il va chercher mon téléphone.

— Mais je suis dessoûlée, maintenant – je peux affronter mes ennemis en adulte.

Il lève les yeux.

— Est-ce qu'elle remet ça ?

— Mm-hmm. Ouais. C'est pour ça que je me suis couverte de ridicule hier soir. Je ne lui pardonnerai jamais, ni à elle ni à moi.

— Allons, Clémentine. Ne sois pas si dure envers toi-même. Tu avais besoin de te défouler. On est tous passés par là. Tu devrais te préparer pendant que je fais des rôties. Tu pourras m'en parler en te rendant au cours. Je vais prendre un taxi : j'ai une rencontre là-bas à dix heures.

J'envoie rapidement un texto à Maddie pour au moins lui faire savoir que je vais bien. Je m'occuperai plus tard des conséquences de ce comportement immature.

Je me lève du lit de Jonathan, dépose une bise sur sa joue et me rends à sa salle de bain pour me doucher. L'eau chaude se déverse sur ma tête, mes épaules et tout mon corps, et je me rappelle les paroles blessantes de Stella. Toute cette douleur et toute cette honte. Pas étonnant que j'aie eu envie de m'évader. Maintenant, je me sens ridicule. Pour oublier, je n'ai fait que me blesser davantage. Sous l'eau chaude, je fais le vœu de ne plus jamais tomber aussi bas. Aucun intimidateur n'en vaut la peine.

Après m'être épongée et peignée, j'entends tinter mon téléphone. Je me hérisse et mon estomac se noue : j'ai la nausée et je m'accroche à la porte de la douche pour garder mon équilibre. J'ai peur que ce soit un autre message cruel sur les réseaux sociaux. J'espère que non. Je n'en peux plus. Je respire à fond avant de regarder, et je suis si soulagée de voir que c'est un texto de Jake :

> Salut Clem, TELLEMENT désolé de voir que la conne recommence... Où es-tu ?

Je réponds rapidement :

> Tu ne veux pas savoir.

> Oh boy. Ça va ? Des problèmes ?

> Non ça va. Je te reparle plus tard. En chemin vers Parsons.

> OK. Je veux des DÉTAILS et une REVANCHE !

Je m'éclabousse le visage avec de l'eau, j'utilise du rince-bouche pour me débarrasser du goût tenace de la vodka, et je me glisse à contrecœur dans l'ensemble d'hier, prête à rentrer, honteuse – à bien des égards.

Chapitre vingt-deux

Dans le taxi qui nous mène à Parsons, j'ai l'esprit qui part en vadrouille. Je fixe tous les piétons pressés d'aller travailler. Ils paraissent affairés, prêts à affronter la journée avec détermination. Moi, par contre, je me sens comme une pointe de camembert fondue. Jonathan me regarde et sourit. Je vois qu'il essaie d'être gentil et rassurant, mais franchement, je ne le mérite pas.

J'essaie de rester positive et je garde la tête haute. Je suis triste de m'être réveillée à l'appartement de Jonathan sans aucun souvenir de ce qui s'était passé après notre arrivée. Je devrais chérir le temps passé avec lui, et non l'oublier parce que je suis ivre morte. Je regrette aussi d'avoir gaspillé une soirée ; j'ai tellement de boulot, merde, et je prends déjà du retard dans mes devoirs. Notre charge de travail est dingue, et moi aussi, pour ne pas la prendre plus au sérieux.

Je baisse les yeux vers mon téléphone : j'ai reçu des tonnes de messages de Maddie. Je lui ai envoyé quelques textos pour lui faire savoir que j'allais bien, mais elle insiste pour qu'on se rencontre à l'un des ateliers de création de Parsons. Je sais à quoi m'attendre : un discours interminable. J'ai encore plus d'élancements dans la tête. Ouh.

Notre taxi nous dépose devant Parsons, j'embrasse Jonathan et le remercie de prendre aussi grand soin de moi, et nous partons chacun de notre côté. Je me dirige à contrecœur vers l'atelier pour rencontrer Maddie. Aussitôt entrée dans la pièce déserte, je sais que j'ai des problèmes. Ça bourdonne habituellement d'activité, et comme Maddie a dégagé l'endroit pour me parler, ça s'annonce très mal. Elle pose les mains sur ses hanches et me lance un regard meurtrier. Vu l'expression de colère sur son visage, je devrais sans doute foncer sur les réseaux sociaux pour créer le mot-clic #priezpourclementine.

— Où étais-tu ? Tu as l'air pitoyable ! lance Maddie d'un ton brusque.

Comme elle élève rarement la voix, je sais qu'elle est super vexée. Oh-oh.

— Je suis désolée, Maddie. J'aurais dû t'appeler plus tôt.

— Plus tôt ? *My god !* Où étais-tu ?

Je regarde mes pieds. C'est gênant, mais je dois avouer la vérité. J'essaie d'éviter son regard, et je finis par dire :

— Je suis allée… en boîte.

Je sais que ma réponse va l'énerver encore plus. Comme je m'y attendais, elle semble incrédule.

— Tu te fous de ma gueule, Clémentine ? En boîte ? Un soir en semaine ? J'étais folle d'inquiétude ! dit-elle en gesticulant, tout comme ma mère.

C'est de famille, j'imagine.

— Sais-tu à quel point j'étais inquiète ? Tu n'as pas reçu mes appels ? J'ai promis à tes parents de veiller sur toi, jeune fille. Et je ne te croyais pas du genre à aller en boîte. Qu'est-ce qui t'a monté à la tête, alors ?

Elle s'arrête enfin.

— Tu veux dire à part quelques verres de vodka ?

Maddie roule des yeux.

— Étais-tu avec Jake en train de célébrer quelque chose ? demande-t-elle avec espoir.

Je détecte l'excès d'optimisme. Hélas, je vais crever sa bulle.

Je fixe encore mes pieds et je secoue la tête.

— Non. J'étais avec Jonathan.

J'ai le sentiment que ça ne se passera pas très bien.

Bouche bée, elle me fixe en silence.

On entendrait voler une mouche.

— Ah non, dit-elle en se couvrant la bouche de ses mains.

Je sais à quoi elle pense, et elle a raison d'être inquiète. J'ai failli faire ce qu'elle imagine. Sauf que je ne l'ai pas fait.

— Ne t'en fais pas, Maddie. Ce n'est pas ce que tu penses. Il n'est rien arrivé. Bon, pas grand-chose, en tout cas.

— Clémentine. Tu commences à le fréquenter. Il est un peu tôt pour découcher, tu ne crois pas ? me sermonne-t-elle d'un ton railleur.

Je vois bien qu'elle en a plein le dos, maintenant. Assez pour appeler mes parents. J'espère seulement qu'elle aura pitié de moi et qu'elle ne fera pas ça. Mes jours à Parsons seraient comptés. Comme je le disais, #priezpourclementine. D'une voix tremblante, je lui demande :

— J'ai juste couché chez lui, c'est tout. Tu ne me fais pas confiance ?

La triste vérité, c'est qu'après ce qui s'est passé, moi-même je ne me fais pas vraiment confiance, mais je me retiens de le dire tout haut.

— Allons, Clémentine, mets-toi à ma place. Je suis dans mes petits souliers.

Je baisse les yeux vers la magnifique paire de mocassins roses qu'elle porte. J'aimerais bien me trouver dans ses Miu Miu, à présent. Mais ça n'a rien à voir.

— Bien sûr que je te fais confiance, mais c'est New York, et il arrive un tas de choses terribles, ici. Mon cœur a failli s'arrêter quand j'ai vu ton lit vide, ce matin.

— Je suis vraiment désolée, Maddie, dis-je en essayant de la réconforter un peu.

— Veux-tu m'en parler ? demande-t-elle en baissant le ton.

Elle écarte une mèche de cheveux de mon visage.

— Je ne sais pas trop ce qui s'est passé. J'imagine que j'avais besoin de m'évader de l'école, et Jonathan était prêt à me suivre. Ce n'est pas sa faute : j'avoue que c'est moi qui ai insisté pour qu'on sorte.

— *Tu* as insisté ? Tu sais que tu n'as pas l'âge légal pour boire, n'est-ce pas ? me rappelle Maddie en tentant d'enfoncer le clou.

Je veux répondre que je vais dans les bars parisiens depuis que j'ai seize ans, mais je n'ose pas soulever ça maintenant.

— Oui, je sais, mais ça m'a échappé. À Paris, on ne m'a jamais demandé ma carte.

— D'accord… alors, pourquoi as-tu besoin de t'évader ? s'enquiert-elle. Quelque chose te stresse à l'école ? Ne t'impose pas trop de pression, Clémentine.

Elle me tapote doucement le dos.

— Tout ira bien.

— Non, ce n'est pas ça.

Je détourne les yeux et retiens des larmes. Le manque de sommeil me remplit d'émotion, sans parler de la série de commentaires méchants sur Twitter. Je suis sur le point de disjoncter. Mais je ne le fais pas.

— Qu'est-ce que c'est, alors ? demande-t-elle calmement.

Je hausse les épaules et, après un long et pénible silence, je sors mon téléphone et fais défiler les tweets jusqu'à celui de Stella.

Maddie le lit, les yeux presque exorbités et les lèvres plissées en une moue serrée. J'imagine de la vapeur qui lui sort des oreilles.

— Tu pourrais traîner Stella devant le comité de discipline des étudiants pour ça, laisse échapper Maddie en levant les bras bien haut.

— Vraiment ?

Cette pensée me met un sourire au visage, mais disparaît aussitôt. Si je portais plainte contre Stella, je passerais pour une moucharde et je me sentirais ridicule. Il faudrait d'abord que la situation empire.

— Merci, Maddie, mais je dois livrer mes propres batailles.

Je repense à la saga de la bourse et au drame qu'elle a provoqué avec Jake.

— Je préfère m'en occuper moi-même. Il est temps que j'affronte le monde en adulte.

— Très bien, puisque tu le dis. Mais je t'ai rapporté quelque chose de la maison. Je me suis dit que ça te serait bien utile, dit Maddie en me tendant un petit livre cartonné : *L'Art de l'élégance à la française.*

Il est vieux ; ses pages sont jaunies et usées, et la couverture paraît ancienne avec son arrière-plan pied-de-poule, comme les vieilles boîtes de parfum Dior que ma mère collectionne sur sa coiffeuse. Avec une petite image arrondie d'une jeune femme, on dirait une jeune Audrey Hepburn avec des gants blancs et un chapeau. C'est le genre de livre que j'adore rechercher dans les marchés aux puces à Paris.

— Qu'est-ce que c'est ? je demande, perplexe.

— C'est un livre d'étiquette. Il appartenait à ton arrière-grand-mère. Je l'ai souvent lu ; il m'a été bien utile au cours de ma vie. Cécile voudrait qu'il te revienne, maintenant.

Elle sourit.

— Ouah, merci, Maddie !

C'est tout à fait étonnant. Au lieu de me réprimander, elle m'offre un cadeau.

J'ouvre le livre au hasard et je vois ce titre de chapitre : *Comment garder son élégance au milieu des difficultés.*

Je me mets à rigoler. Jake m'a incitée à prendre ma revanche sur Stella, je me suis ridiculisée devant Jonathan hier soir et je manque d'assurance à l'école : ce livre est exactement ce qu'il me faut.

Je voudrais sauter un cours, me pelotonner avec le livre de Cécile et le lire d'une seule traite. Je crois bien qu'il m'aidera à prendre de meilleures décisions. Grâce à ce trésor, tout ne peut que s'améliorer. Je le mets dans mon sac et me dirige vers la porte, mais Maddie m'agrippe par la manche de mon blouson.

— Tiens, tu devrais porter cet ensemble. Je l'ai trouvé à l'atelier.

Elle me tend un blazer décontracté, à rayures bleues et blanches, et un pantalon cigarette noir, ultramince. Le look est futuriste et d'avant-garde. Ce n'est pas ma tasse de thé, mais je sais que Maddie sera heureuse de me voir le porter.

— Ça vient de la collection de l'an dernier d'une étudiante. Ça t'évitera de te faire regarder de travers par tes camarades.

Je sais que je n'ai pas tellement le choix. Je voudrais lui dire que cet ensemble à la *Star Trek* aura probablement l'effet contraire, mais je me retiens.

— Super, merci.

Je retire l'ensemble de ses cintres et je vais me changer derrière un mince rideau. Tout de suite, je me sens mieux. C'était vraiment une bonne idée ; il est tout à fait rafraîchissant d'enlever les vêtements malodorants de la veille. Et il est réconfortant de me savoir appuyée. Je fais un énorme câlin à Maddie.

Je suis si reconnaissante d'avoir de mon côté les membres prévenants de ma famille, ceux du passé comme ceux du présent.

Ils savent vraiment vivre et se mettre en valeur – deux des plus précieux trésors de l'existence, non ?

Chapitre vingt-trois

Comme tout le monde, la femme élégante connaît des moments difficiles. Là où d'autres hurleraient, pleureraient ou lanceraient des objets, elle garde la tête bien haute et ne cède pas sous la pression.

Ces phrases du livre de Cécile semblent bondir de la page. Après mon premier cours, pour éviter les yeux indiscrets, je suis allée m'asseoir avec un chocolat chaud au fond de la cafétéria de l'école. Je tourne les pages le plus soigneusement possible pour ne pas déchirer ce papier délicat. Je dois protéger ce trésor de famille autant que ma réputation.

Je ferme les yeux en essayant de m'imprégner de ces paroles pleines de sagesse. Mon arrière-grand-mère, une femme avisée, a toujours gardé son sang-froid, même après la mort de son mari. Il lui arrivait peut-être de montrer sa tristesse à ses amis proches et à sa famille, mais peu longtemps. Elle ne s'est jamais effondrée sous la pression lorsque l'entreprise familiale a connu des moments difficiles. Comme la mère de Jake, elle avait un petit commerce de reprisage de robes et de jupes et s'est constitué une magnifique garde-robe en demandant à ses amis créateurs de lui donner des échantillons gratuits. Ce n'est pas qu'elle n'ait pas souffert, au contraire. Mais elle ne l'a pas montré et elle a pris son courage à deux mains. Elle a accepté avec grâce les périodes difficiles, sachant qu'elles finiraient par passer.

Je tourne les pages et un autre passage me donne envie de rentrer sous terre :

La femme élégante peut pleurer ou s'extérioriser pour chasser sa peur, mais jamais devant un auditoire.

Oups. Je songe aux tactiques d'intimidation de Stella et à ma réaction peu gracieuse devant un grand groupe d'étudiants dans l'auditorium de l'école. Et je rougis de honte lorsque je me souviens de mon manque d'élégance sur la piste de danse, hier soir. Je rougis de honte en songeant à Cécile et à ses manières impeccables, et je me vois gigoter des hanches et glisser sur un poteau devant d'innombrables inconnus. À quoi ai-je donc pensé ? Et me jeter sur Jonathan – tout ça est très gênant. Je me demande si Cécile a jamais fait quelque chose de semblable à mon âge. J'ai l'impression qu'elle devait se laisser aller à sa façon, qui est unique. Je me sens mieux.

Le livre vise tellement juste que je continue de lire.

La femme élégante incarne la force, le courage et l'espoir. Elle est certaine de pouvoir dépasser toute situation ou difficulté pour en tirer une leçon. Tandis que certaines personnes prennent plaisir à se vautrer dans leurs malheurs, la femme élégante garde la tête haute et poursuit son chemin.

Voilà ! C'est ça. C'est le message que je cherchais. Je referme le livre, soulagée et satisfaite. Je remercie mentalement Cécile d'avoir légué ce trésor aux membres de la famille. Je me lève de la chaise, je lisse les faux plis de mon pantalon noir emprunté et je noue mes cheveux en queue de cheval. J'applique du brillant à lèvres et je choisis d'aller au cours avec grâce, espoir, et un nouvel optimisme. Je répondrai à Stella d'une façon qui ferait la fierté de mon arrière-grand-mère. Plus question de me morfondre.

Il est temps de garder la tête haute, de passer à l'action, de tourner la page et de me faire plaisir. Quelques étudiants se retournent et me regardent quitter la cafétéria avec assurance. Je sens déjà en eux un changement de perception de moi qui reflète ma force intérieure.

Chapitre vingt-quatre

— Eh, princesse, je t'ai cherchée partout. Quoi de neuf?
Jake arrive à la cafétéria juste avant le cours.

Il porte un jean gris, un pull gris, un bonnet gris et un t-shirt blanc. Il est également chaussé de baskets grises cloutées et a mis une écharpe à motif de crânes. La palette de couleurs des étudiants de l'école semble avoir déteint sur lui. Mais bon, qui suis-je pour juger? Je porte des vêtements empruntés à un atelier de création et j'ai l'air d'un personnage de film de science-fiction.

Jake ne semble pas contrarié par mon look.

— Dis donc, t'es culottée! dit-il en accordant un air approbateur à mon ensemble.

Je réponds par un hochement de tête. Je ne peux me résoudre à lui dire que j'ai emprunté ces vêtements à l'école pour éviter de rentrer honteuse d'avoir découché. Pas encore, du moins.

— Alors, t'étais où, ce matin? Et surtout, que me cachez-vous, jeune fille? demande-t-il en tenant son café glacé d'une main et en désignant mon sac à main de l'autre.

Il m'a vue glisser le précieux manuel d'étiquette de Cécile dans mon sac au moment où il s'approchait, mais j'ai décidé de ne pas lui en parler.

— Je ne cache rien, c'est juste un vieux manuel que j'ai pris à la bibliothèque, je lui réponds d'un ton dédaigneux. Et si tu veux absolument savoir, j'étais chez Jonathan ce matin quand je t'ai texté.

Je regarde autour pour m'assurer que personne n'a entendu.

— *OH MY GOD!* Tu as déjà couché avec lui? lance Jake à voix forte en prenant place à côté de moi.

J'ai envie de ramper sous la table.

— Je ne peux pas croire, Clem. Écoute, il est beau et tout, je te l'accorde, mais qu'est-ce que je t'ai dit? Ce n'est pas la meilleure façon de procéder.

On dirait qu'il me donne des conseils sur la façon d'acheter des billets pour un concert au Madison Square Garden.

— Chuuut!

Je pose mon index contre mes lèvres. À cause de Stella, j'ai déjà la réputation d'être un imposteur. Ça suffit pour la semaine.

— Non, je n'ai pas couché avec lui, du moins pas comme tu crois, je murmure. On est allés en boîte et j'ai dormi chez lui, mais on n'a pas fait l'amour. Bon, voilà. Si c'est ce que tu veux savoir.

Il secoue la tête tout en coupant son muffin en petits morceaux, comme s'il réfléchissait soigneusement à tout ça.

— D'accord… Alors, c'est arrivé comment? La dernière fois que je vous ai vus, tous les deux, vous vous embrassiez devant l'entrée de l'école. Qu'est-ce qui t'a entraînée dans cette complète déchéance ? me questionne Jake avec son faux accent français qui, habituellement, me fait rire – sauf qu'il parle de ma réputation : ce n'est pas drôle.

— Il n'y a rien à dire, tu sais.

— Oh, je suis capable d'en juger, ma chouette. Jusqu'ici, tu dérailles. Cette histoire a tout le piquant qu'il faut.

Il lève les deux sourcils d'un air espiègle et met un petit morceau de muffin dans sa bouche.

— On est allés dîner, on a pris du vin, puis on est allés prendre d'autres verres dans un bar. Comme j'étais éméchée, Jonathan m'a laissée dormir chez lui pour s'assurer que je n'aurais aucun problème – c'est tout. On ne s'est même pas pelotés. Ne te tracasse pas, dis-je en prenant une gorgée de mon café noir.

Heureusement, ça me tient réveillée.

— Tu sais que je ne fais que protéger tes intérêts, Clem. Je ne veux pas qu'on te fasse de mal, c'est tout. À New York, bien des hommes sont des dragueurs, me prévient Jake.

— D'accord, puisque tu le dis... mais Jonathan n'en est pas un. Il aurait pu profiter de moi, mais il ne l'a pas fait.

— Très bien, comme tu voudras, chérie. Seulement, je ne veux pas ramasser ton cœur en miettes, dit-il avant de terminer la dernière portion de son goûter.

Il voit mon air interrogateur. Je n'ai jamais vu personne découper des muffins en autant de petits morceaux.

— Ne me pose pas de question, c'est un truc que ma mère m'a enseigné. Découper ma nourriture m'aide à calmer mon appétit. Elle croit que j'ai quelques kilos à perdre. Mais tu veux savoir ce que j'en pense ?

— Bien sûr.

— Je préfère me ranger aux sages paroles d'Oprah, une femme sacrément intelligente : "Il paraît que maigrir est la meilleure des revanches. Réussir est franchement préférable."

— Bon. Puisque tu le dis.

Je doute plus ou moins de l'efficacité du conseil bien intentionné de sa mère après qu'il a terminé son troisième minimuffin. Tant pis.

— Assez parlé du garçon. Parlons de Stella, dit Jake en s'essuyant les doigts avec une serviette de papier et en prenant une gorgée de café.

J'inspire à fond et j'exhale lentement. Je veux suivre le conseil du livre de Cécile, mais je sais que mon approche ne conviendra pas tellement à Jake. Il faut que je tienne bon. Je me suis engagée à être une femme élégante à tout prix – mon histoire familiale et ma réputation sont en cause.

— Franchement, Jake, je ne veux plus vraiment en parler. Stella a préparé le terrain en répandant des rumeurs méchantes à propos de moi, et j'ai décidé de ne pas engager le combat avec elle sur ce plan.

— Mon Dieu, écoute-toi parler... Es-tu entrée dans une secte, ou quoi ?

— Non. C'est le simple bon sens. Rien de plus. Ne t'en fais pas, je trouverai une façon de lui remettre la monnaie de sa pièce, mais selon mes propres conditions. Et puis je pense que la vengeance est une idée surfaite.

Il me regarde comme si je venais de lui dire que je porterais une chemise de flanelle à une soirée de gala.

—Je sais que c'est difficile à comprendre pour toi, mais c'est la meilleure façon de s'y prendre dans ce cas-ci.

—Très bien, alors, ma jolie. Puisque tu le dis. L'affaire est close.

Il fait semblant de donner un coup de marteau sur la table, comme un juge.

—Maintenant qu'on a résolu deux questions fort importantes, il est temps de parler de ceci.

Il pose une feuille de papier sur la table devant moi. Je sais déjà ce que c'est.

—*Oh my god.* Tu as obtenu la bourse ! je dis, les yeux exorbités.

—Oui, acquiesce-t-il avec des larmes de joie.

Il aime jouer les durs à propos de Stella, mais au fond, c'est un grand sensible.

—Ouais. Je l'ai. Grâce à toi, Clem. Merci pour le tuyau. Je te dois beaucoup.

—Non, tu ne me dois rien, Jake. C'est toi que tu devrais remercier. Je t'ai juste donné l'information.

—Tu comptes pour beaucoup là-dedans, ma grande. Mais je suis un peu nerveux, c'est assorti de quelques conditions.

—Oh ? Lesquelles ?

—J'imagine que mon concept de collection a été décisif. Ils adoraient l'idée de création pour les personnes handicapées. Maintenant, je sens qu'ils insistent pour que j'exécute mon projet.

—C'est une pression toute positive, non ?

—Tu parles.

Je suis vraiment emballée pour lui. Ça me rappelle mon propre projet. Il faut que je cesse de m'en faire à propos de Stella et que je passe à autre chose. Je pourrais peut-être écrire quelque chose pour mon blogue?

— J'aimerais pouvoir sortir pour célébrer, mais j'ai à peine dormi depuis vingt-quatre heures, dis-je.

— On est dans le même cas. Mais pas pour les mêmes raisons, Clem.

Il remue le doigt à la blague dans ma direction en m'adressant un regard osé. Je lui donne un petit coup en retour.

— Puis-je compter sur toi pour m'aider? Je suis foutument nerveux. Je débute et ils s'attendent à ce que je montre ma collection devant tout le personnel enseignant de Parsons, *my god*! Je ne dormirai pas et je ne mangerai pas pendant six mois.

— Ouais, c'est sûr, je réponds à la blague, en désignant son assiette vide.

— Aïe, très juste.

— Tu peux compter sur moi pour t'aider. Si je me rappelle bien, Jonathan a mentionné qu'il était le photographe officiel de l'événement de vitrine étudiante de Parsons. Est-ce celui dont tu parles?

— Ouais.

— Je suis sûre qu'il est prêt à prendre des photos sans frais pour toi. Aussi, il a des tas de contacts qui pourraient t'aider à t'organiser.

— Dans ce cas, je retire tout ce que j'ai dit de négatif sur lui, dit-il en me tapotant affectueusement l'épaule.

— J'essaierai d'organiser une rencontre entre vous deux. Peut-être un dessert chez Serendipity ?

Je me demande comment Jonathan réagira au fait de rencontrer Jake dans un cadre aussi féminin. J'imagine Jake qui flirte avec mon copain en lui faisant les yeux doux entre deux bouchées de coupe glacée au fudge chaud. En matière de divertissement, ce serait bien la cerise sur le sundae.

— Ce serait génial. Tu es super, Clem. Écoute, on en reparle plus tard, il faut que j'y aille !

Jake me fait la bise en se levant de sa chaise et s'empare de toutes ses affaires, puis sort d'un pas nonchalant de la cafétéria, l'air emballé.

Je me rappelle de sages paroles du livre de Cécile :

La femme élégante comprend que le fait d'être une bonne personne est un choix que l'on refait sans cesse.

C'est comme ça que ça marche.

Au moment où je m'apprête à partir, je repère Ellie de l'autre côté de la salle, et elle regarde fixement dans ma direction. Elle me lance un autre regard méchant. Pourquoi ? Qu'est-ce que je lui ai fait pour mériter ça ? Franchement, je suis bien trop fatiguée pour m'occuper de ces bêtises. Je lui renvoie un regard de défi avant de me diriger vers la cafétéria pour prendre ce que requiert toute femme élégante pour garder son sang-froid : un autre double allongé.

Chapitre vingt-cinq

Par la fenêtre de chez Joe Coffee, je regarde passer les étudiants de New York University et de Parsons. Je me demande si certains d'entre eux ont aussi des problèmes. On dit qu'on se sent mieux quand d'autres souffrent aussi, et j'ai sûrement besoin d'appuis.

J'ai demandé à Jonathan de me rencontrer ici après sa réunion. Ce café a une ambiance branchée et dégagée. Je commande un croissant au chocolat. Et de l'eau pétillante. Je n'ai plus besoin de caféine.

Je me sens mal à propos de ce qui s'est passé hier soir. Après avoir parlé à Maddie, il m'est venu à l'esprit que j'ai fait une grave erreur ; que j'aurais plutôt dû rentrer chez moi, et ça m'a hantée toute la journée. Maintenant, je veux tout simplement discuter avec Jonathan pour voir si on est d'accord.

Je regarde mon ensemble qui ne convient pas à ma personnalité. Porter ces vêtements me donne une sensation étrange. J'essaie de ne pas y penser ; j'ai des affaires plus importantes à régler, comme : est-ce que Jonathan veut encore sortir avec moi après que je me suis complètement ridiculisée ?

— Salut, beauté, dit Jonathan en m'embrassant sur la tempe. Géniale, ta veste.

Je ne sais pas trop s'il est sérieux, mais son compliment me réconforte et me sort de mon malheur. J'espère que c'est signe que je n'ai pas gâché mes chances avec lui.

— Tout va bien? demande-t-il en déposant son sac à dos sur le siège à côté du mien.

Je baisse les yeux d'un air penaud; c'est tout à fait ce que je veux savoir.

— Ouais, eh bien, euh, j'imagine. Est-ce que tout va bien, vraiment?

— Bien sûr, Clémentine. Pas de quoi s'inquiéter, hein? Il me prend la main.

— Bon, puisque tu le dis. Je me sens tout simplement gênée de m'être conduite comme une parfaite idiote.

J'ai déjà fait des bêtises avant, comme lorsque je me suis accidentellement rasé un sourcil après avoir regardé sur YouTube un tutoriel sur la façon de les tailler. Mais faire du *pole dancing* en public, jamais.

— Ce n'est pas ce que j'ai vu. Tu avais l'air superbe, Clémentine, pleine d'énergie brute, toute créative sur la piste de danse.

Il passe ses doigts dans mes cheveux et ça me réconforte.

Les mots me manquent. Ce type est vraiment spécial s'il voit de l'art dans mes mouvements de danse, au lieu de mon état d'ébriété désordonnée. Je suis vraiment en train de tomber amoureuse folle de lui. J'espère seulement qu'il se sent ainsi, lui aussi.

— Ah, allez, tu dis ça pour être gentil.

Je m'accroche à sa main.

— Non, pas du tout. Tu devrais cesser d'être aussi dure envers toi-même. On a tous fait des gestes regrettables. Rien de grave, assure-t-il en prenant une gorgée du café que je lui ai commandé.

Il paraît plus sexy que jamais avec ses manches de chemise retroussées et ses yeux pleins de compassion.

— Tu crois ? dis-je en lui lançant un regard interrogateur. Tu as fait des bêtises, toi aussi ?

— Bien sûr, à l'époque du collège… Moi aussi, j'ai trop bu, à quelques occasions. Surtout après certaines de ces fêtes de la Semaine de la Mode. Elles peuvent devenir plutôt débridées.

Jonathan regarde par la fenêtre.

Un feu rouge s'allume dans ma tête alors que je me rappelle les avertissements de Jake à propos de mes fréquentations avec un photographe de mode. J'essaie de rester calme et de me dire que tout ça fait partie du métier. Il n'est pas nécessaire de s'en faire à propos des fêtes, de l'alcool, et certainement pas des millions de jolies femmes. Mais j'ai de la difficulté à me concentrer. Des questions surgissent spontanément dans ma tête, sur l'exclusivité de notre relation, par exemple. Bien sûr, il est beaucoup trop tôt pour l'envisager (mais je l'officialiserais tout de suite, sans problème). Je décide de ne pas m'énerver. Ce n'est pas le moment de disjoncter ni de devenir anxieuse et en manque d'affection.

— Bien. J'imagine que ces fêtes peuvent devenir plutôt démentes, dis-je nonchalamment, comme si j'en savais quelque chose.

Mais ce n'est pas le cas, du moins pas encore. Bien sûr, j'y aspire : j'espère que Jake m'invitera parfois.

Il m'envoie un regard neutre et un petit signe de la tête.

Ce n'est pas exactement la réaction que j'attendais. J'espérais qu'il dise tout simplement qu'il ne fréquente les fêtes qu'avec des clients ou des collègues, et qu'il rentre tôt chaque fois. Mais comme il ne le dit pas, je respire à fond et j'essaie de ne pas tenir compte de mon malaise.

— Ce soir et demain, je travaille à mon portfolio. Mais on peut se rencontrer demain soir. Si on allait écouter de la musique live à Soho ? demande-t-il d'un ton réconfortant.

Je suis soulagée. Il veut vraiment me revoir, après tout. Dieu merci.

— Je ne sais pas trop si c'est une bonne idée de retourner *downtown*. J'ai tendance à me laisser aller, là-bas, je lance à la blague.

Il se rapproche, sa chemise appuyée contre mon blazer emprunté, et me regarde dans les yeux.

— Partout où je vais, je me laisse aller quand je suis avec toi.

Puis, nous nous embrassons. Mon cœur palpite et mon humeur s'élève jusqu'à la stratosphère.

J'écarte de la main mon goûter. Je n'ai plus besoin de sucre ni de stimulants artificiels : ma vie est déjà plutôt délicieuse.

Dommage que ça ne dure pas.

Chapitre vingt-six

Ce soir, Maddie est sortie avec son mystérieux inconnu. Elle m'a dit qu'il l'emmenait à une première de film à Tribeca. J'ai tellement hâte de le rencontrer pour m'assurer qu'il est à la hauteur. Entre-temps, je suis contente d'avoir l'appartement à moi toute seule.

J'ai travaillé avec des tableaux de visualisation, que je crée pour me donner de l'inspiration. J'ai des piles de coupures de magazines, de ciseaux, de papillons et de stylos de couleurs, partout. Mais ma conversation avec Jonathan me revient sans cesse à l'esprit. Des questions restent sans réponse : « Est-ce un fêtard ? Un dragueur ? » Maddie dit que je pourrais être un modèle pour les autres filles à cause de ma force intérieure, mais Jonathan me change en flaque. Pourquoi ai-je des doutes sur moi-même ?

Ai-je peur de fréquenter quelqu'un de nouveau ? Mais oui, bien sûr. Surtout après ce qui s'est passé à Paris, et après ce que Jake a dit. Mais je dois en sortir. Pour mon propre équilibre mental et ma paix intérieure. Comme Jonathan semble s'intéresser à moi malgré mes foutues gaffes, ce n'est pas le moment d'hésiter.

Pour développer mon assurance, je décide de me concentrer sur mon blogue. Il faut que je sois davantage comme Maddie, une femme indépendante et célèbre. Plus tôt, aujourd'hui, mon concepteur graphique m'a envoyé un lien vers son travail pour que je l'évalue, et c'est parfait : exactement ce que j'avais envisagé. Maintenant, tout ce qui manque, c'est du contenu.

Je sors mon ordi et l'installe sur un coussin, sur mon lit. J'ai tellement de chance de travailler ici. Ma chambre est bien éclairée, moderne et féminine, tout comme le site Web que j'essaie de construire. Grâce à Maddie, elle est décorée de bougies parfumées (à la clémentine, bien sûr), de draps blancs et propres avec une touche de dentelle française, de colliers rétro et d'affiches d'art achetées en Europe. Il y a des livres sur la mode – des tonnes de livres magnifiques, dont celui de Cécile – sur les étagères et sur ma table de chevet. La mode et son histoire coulent dans mes veines, j'imagine. Tout comme l'amour des jolis objets. Et puis il y a mon chat de porcelaine du Japon que mon papa m'a donné. C'est mon porte-bonheur que j'emporte avec moi partout où je vais.

D'après un passage du livre d'étiquette de Cécile, la femme élégante doit garder son décor dégagé, tout comme son état d'esprit. C'est loin d'être le cas maintenant ; grâce à ma dernière salve de travaux pratiques et de collages, ma chambre à coucher est devenue un champ de bataille. Mais ça va, je me sens plus productive ainsi.

Je commence une lecture tardive. Je croyais m'endormir tôt ce soir après l'escapade en boîte d'hier, mais pour une raison quelconque, j'ai une tonne d'énergie. Je tombe sur un article à propos d'une fashionista adolescente :

elle souffre d'une rare maladie qui fait tomber les cheveux. Elle s'appelle Amy.

Elle utilise des perruques de couleurs et de styles différents, assorties à son humeur et à ses vêtements. Je trouve son histoire si inspirante que je lui envoie un courriel à deux heures du matin. Comme elle aussi est un oiseau de nuit, elle me répond tout de suite. Jusqu'à trois heures, je l'interroge sur Skype pour mon premier article de fond de Bonjour Girl. Je suis emballée. Amy est du genre à prendre les devants tout en amenant les autres à relever leurs propres défis.

Elle m'envoie des photos d'elle-même coiffée de perruques de couleurs différentes, assorties à de géniaux ensembles. Sa personnalité radieuse et joyeuse fait d'elle un sujet parfait pour mon premier article de blogue.

Je télécharge les photos, je transcris mes notes de conversation et je gonfle en caractères gras certaines des paroles les plus inspirantes d'Amy: «Vivre avec une grave maladie chronique m'a permis de m'aimer. Je veux maintenant être respectée pour qui je suis.»

Après avoir relu ça pour la troisième fois, je me sens ridicule de tellement manquer de confiance dans ma relation avec Jonathan. J'ai vraiment besoin de me ressaisir. Vais-je consacrer tout mon précieux temps et mon énergie à m'en faire à propos du passé d'un mec? Non.

Plutôt, je relis la deuxième citation inspirante d'Amy: «Pour dégager la confiance en soi, il suffit d'être soi-même. Avec une attitude positive, on peut attirer tout ce qu'on veut.»

Cette incroyable réflexion me donne le courage d'écrire mon premier article de blogue. En tapant, je sens un mélange d'emballement et d'inquiétude qui palpite dans mes veines, et mes ongles bleus claquent sur les touches à mesure que les mots ruissellent. J'y arrive – avec une certaine anxiété, surtout quand je pense à ce que Stella pourrait dire ou faire quand je l'aurai publié. Mais ensuite, je pense à ma nouvelle amie Amy et à toutes les difficultés qu'elle a vaincues. Je songe aussi à l'humiliation qu'elle a peut-être endurée en cours de route, et je me dis : au diable Stella ! C'est mon moment de vérité. Je ne laisserai personne me mettre des bâtons dans les roues.

Je finis par cliquer sur le bouton de publication.

Je partage mon premier article sur toutes mes plate-formes de réseaux sociaux, y compris Twitter : au diable les intimidateurs et les détracteurs.

Lorsque c'est parti dans le cyberespace, j'éteins mon ordinateur, je m'étends sur mon lit et je forme autant de bonnes pensées que possible à propos d'Amy, de mon blogue et de tous mes futurs lecteurs. Ainsi, je peux envoyer de l'énergie positive dans le monde. Je remercie également Cécile de m'avoir envoyé son précieux livre. Elle a eu une forte influence sur ma présence ici. J'en lis quelques pages, puis je tombe dans un sommeil court, mais profond et satisfaisant.

On verra bien ce qu'apportera demain. Bonne nuit.

Chapitre vingt-sept

Oh my god. Pas possible. C'est vrai? Je plaque mes mains sur ma bouche comme si je venais de remporter la loterie.

Le nombre de personnes qui ont lu et partagé mon article de blogue pendant la nuit est stupéfiant. La réaction est si renversante que je ferme mon ordinateur portable et le redémarre, juste pour m'assurer que je n'hallucine pas. C'est encore plus excitant que l'argent d'une bourse. Ça remonte mon estime de moi – et ça n'a pas de prix.

L'horloge marque dix heures. J'ai dormi trop longtemps, mais ce n'est pas un problème, j'imagine, car je n'ai aucun cours ce matin. Maddie m'a sans doute laissée dormir à dessein. Je me rends à la cuisine et me prépare rapidement une tasse de thé. Pendant que j'attends que l'eau bouille, je me demande si je rêve. Bonjour Girl a-t-il vraiment décollé si vite? Avec à la main ma tasse à café rétro d'Euro Disney, je me rassois devant l'ordinateur et j'attends qu'il redémarre. Lorsque c'est fait enfin, ce que je vois me fait bondir de joie: il y a des milliers de clics, de partages, de *likes* et de retweets en provenance de l'Europe, de la Grande-Bretagne et de l'Amérique. Je lève les bras, fière de ma victoire.

Oh my god. C'est l'un des moments les plus passionnants de ma vie. J'ai à l'esprit les paroles de la chanson d'Alicia Keys : *This Girl is on Fire.*

Comment est-ce arrivé ? Par hasard ? Par magie ? Grâce aux fées du blogue ? Je l'ignore, mais je sais qu'Amy a partagé avec ses propres abonnés l'article que j'ai écrit sur elle. Je me suis assurée de rapporter son histoire le plus sincèrement possible, et je crois que ça a touché le cœur des gens.

Je me sens fière, vraiment fière. Pour avoir suivi mon instinct et ne pas avoir laissé qui que ce soit m'empêcher d'avancer par des remarques méchantes. Je prends une gorgée réconfortante de thé… mais au bout de quelques minutes, je commence à me tracasser. Et si Stella voit ça et tweete quelque chose de blessant qui fait disparaître cet intérêt soudain envers mon blogue ? Et sur quoi devrais-je écrire ensuite ? Bon, tomber sur Amy, c'était un coup de chance, mais où vais-je trouver d'autres sujets pareils ? Mon esprit commence à s'enfoncer dans des pensées négatives.

Il faut que ça s'arrête. Je referme mon ordinateur et je prends une douche pour me calmer. Puis je m'habille et je texte à Jake. J'ai besoin de son aide pour arriver à comprendre quoi faire ensuite.

On peut se voir ?

Quand ?

Genre maintenant???

Tu veux dire TOUT DE SUITE?

Oui. Besoin de te parler. URGENT!

Problème de mec?

Non... expansion commerciale! IMMENSE!

Oh! OUAIIIS! Jake à ton service! À l'épicerie fine dans une heure?

Parfait. T'es mon idole!

Bien sûr!

Xx

Le souffle court, je me présente à l'épicerie fine située en face de l'école. Ce bazar de la bouffe est assorti d'un comptoir à salade et d'un bar à jus, avec tout ce qu'il y a d'imaginable. Jake semble plutôt s'y plaire. Il a fait des choix dans chaque allée: après avoir commandé un sandwich aux œufs, il a empilé les bananes, les barres énergétiques et les boissons froides. J'ouvre mon ordinateur portable pour lui montrer l'accueil chaleureux que j'ai reçu, du jour au lendemain, de milliers d'inconnus – pour moi, c'est l'équivalent créatif d'un buffet.

— Tu es vraiment championne ! C'est génial, Clem. Bonjour Girl est un immense succès !

Il dépose son sandwich et fait défiler mon article de blogue avec ses doigts collants. Je suis tellement emballée que je m'en fiche.

— Je savais bien que tu étais culottée, mon amie. Tu vois, il suffisait que tu te montres.

— Mm-hmm. J'imagine. J'étais terrifiée à la pensée de publier ce premier article, mais je suis vraiment contente de l'avoir fait, dis-je tout en fixant mon écran. Je suis sur la bonne voie, je pense…

— La bonne voie ? Tu veux rire ? Tu es une rock star ! Tout comme cette Amy. C'est un ange. J'aime bien son style aussi – très cool. J'aimerais bien l'avoir dans mon équipe quand je présenterai ma nouvelle collection, déclare Jake.

Je vois que sa tasse de café fait son effet.

— Je savais que tu serais impressionné par elle, dis-je.

Puis, encore inspirée par le colloque de l'école Parsons auquel j'ai assisté pour apprendre à créer du contenu en ligne, j'ai une révélation.

— Je viens d'avoir une idée. Et si on collaborait ? Tu présentes tes idées de créations et je blogue sur elles ?

— Oooh, ce serait une association géniale. J'aime ta façon de penser.

Il me fait un clin d'œil.

Et de but en blanc, après avoir lancé sa tasse de café vide à la poubelle, Jake me prend par le bras.

— Commençons, alors.

— Tout de suite ? Où est-ce qu'on va ?

Il m'emmène à toute allure vers la porte.

— À l'atelier de création. Je vais te montrer mes derniers travaux en cours. Maddie dit que ma technique de couture est impeccable.

— Bien sûr que oui.

— On va faire la fierté de Cécile ! s'écrie Jake en sortant son téléphone.

Il se lance dans une longue séance de textos. Je ne sais pas trop à qui il envoie ces messages, mais j'imagine que je l'apprendrai bientôt.

— Donne-moi juste une heure pour m'organiser. Je vais te rencontrer à l'atelier de création.

J'espère vraiment faire la fierté de Cécile, car jusqu'ici, durant ce semestre, mes comportements lui ont sûrement fait honte et l'ont tracassée. Mais avec mon populaire article de blogue, on dirait que ma chance est enfin arrivée. Puisse dame chance continuer d'être de mon bord, au moins pendant un moment.

— Alors, où sont tes chères précieuses, chéri ? je demande en entrant d'un pas nonchalant dans l'atelier de création de Parsons où Jake travaille à sa collection.

Je lance des regards furtifs dans toute la salle, à la recherche des premières pièces de Jake. Je sais qu'elles sont quelque part ici. Comme il a travaillé tard tous les soirs de cette semaine, j'aurai sûrement une agréable surprise.

Le visage de Jake s'éclaire comme la grande roue du Jardin du Carrousel à Paris.

Le grand espace est rempli de machines à coudre, de tables de découpage et de mannequins. Quelques vêtements attirent mon attention, dont une robe bleu pâle entièrement brodée d'yeux et de cils. Le look est moderne et enjoué, et je m'imagine tout à fait la porter, surtout pour un rendez-vous avec Jonathan.

— C'est celle d'une adorable étudiante bulgare, précise Jake en me voyant admirer la robe.

— Elle est magnifique.

Mon ami pose son doigt sur sa bouche, et semble flotter dans la pièce tandis que l'écharpe de soie à son cou ondoie gracieusement derrière lui. Malgré les habitudes alimentaires de Jake et ses manières parfois un peu rustres, il possède le charme de Truman Capote, auteur de *Petit déjeuner chez Tiffany* et homme du monde tiré à quatre épingles.

— Non, ma chère. Tu ne verras pas mes précieuses créations traîner dans l'atelier, pas même accrochées à un mannequin. Je les garde toutes dans une cache secrète particulière.

Il remue le doigt d'une façon exagérée.

Il marche d'un pas nonchalant vers un grand coffre métallique au fond de la salle et l'ouvre avec mille précautions. Je ne sais pas du tout ce qu'il fait, mais le suspense me tue.

On frappe à la porte. Je n'en crois pas mes yeux lorsqu'une magnifique créature assise dans un fauteuil roulant entre dans la pièce : c'est Adelina, la blonde blogueuse russe. En personne, elle paraît éthérée, avec ses pommettes sculptées et ses sourcils parfaits. Elle pousse ses roues vers nous tout en levant de temps à autre les bras bien haut au-dessus de sa tête pour danser dans son fauteuil, l'air d'une totale rock star. Elle est habillée d'un ensemble rayé, bleu et blanc, simple et chic, comme un personnage de *Gatsby le Magnifique*, accessoirisé avec un béret et un rouge à lèvres assortis. Elle tient un sac de toile qui porte l'hilarante inscription *Pourquoi suivre une thérapie alors qu'il me suffit d'être bizarre et d'habiter à New York ?*

Son allure et son panache me laissent sans voix. Elle exsude une telle assurance qu'elle me fait vouloir imiter sa vibration radieuse et heureuse. Je comprends maintenant pourquoi Jake adore être avec elle ; j'aimerais la suivre partout, moi aussi.

— Clémentine, je suppose. Moi, c'est Adelina.

Elle tend la main vers moi. Je suis intimidée devant sa beauté pure et son style.

— Jake m'a tout dit de toi, chérie, poursuit-elle. J'adore ce que tu portes. Cette robe rétro est superbe. Où l'as-tu trouvée ?

— Chez Artists & Fleas, au Chelsea Market, dis-je.

Je l'ai choisie en faisant des courses avec Maddie, le week-end avant la rentrée.

— Oh, vraiment ? C'est ma résidence secondaire. Je ne peux pas croire que tu aies sauté dessus avant moi, ajoute-t-elle, tout à fait pince-sans-rire.

Je me mets à rire et Jake continue de nous regarder fièrement, voyant que ses deux meilleures copines ont des goûts de mode similaires et s'entendent à merveille.

— J'adore ce que tu portes, je lui dis. C'est si élégant et chic.

— C'est de moi, mentionne Jake.

— Wow, travail incroyable, Jake. Maintenant, je sais pourquoi tu as eu cette bou…

Il m'interrompt.

— Chhhhut!

— C'est vrai, désolée.

— Ça va, Adelina est au courant. On peut lui faire absolument confiance. Ce sont les autres étudiants qui m'inquiètent, ajoute-t-il en regardant autour.

Mais il n'y a pas de quoi s'inquiéter; il n'y a qu'un autre étudiant dans la pièce à présent, et il continue de coudre derrière une machine bruyante.

Quand on regarde l'ensemble d'Adelina, il est évident que Jake était destiné à être couturier. Le talent lui sort par les oreilles.

— Adelina a un look d'enfer.

— N'est-ce pas?

Jake marche vers elle, s'agenouille et lui fait une grande accolade.

— C'est incroyable. Tu as un tel talent, c'est fou! je lâche.

— Eh bien, merci, madame, dit-il avec fausse modestie et un grand geste du bras.

— Vous faites vraiment la paire, vous deux, j'ajoute en essayant de ne pas redevenir jalouse de leur amitié.

Une chose est certaine. Mon ami a trouvé le mannequin parfait pour porter ses vêtements. Une création magnifique et du talent de marketing, ça court manifestement dans ses gènes (ou ses jeans ?).

— Parlez-moi davantage de votre collection, monsieur, lui dis-je d'un ton enjoué.

Jake prend sa meilleure voix d'entrevue télévisée.

— C'est une collection de vêtements tendance et pratiques, créée pour permettre aux utilisateurs de fauteuils roulants d'être élégants et de se sentir bien. Je n'ai créé que quelques pièces, quatre pour être plus précis, mais j'ai l'intention d'en faire beaucoup d'autres.

— Quelles sont les caractéristiques essentielles de votre collection ? je demande en sortant mon carnet pour prendre des notes pour mon blogue.

— Nos vêtements ont des coupes et des styles qui conviennent à un corps assis, ce qui est plus approprié, plus joli et donne une sensation plus confortable que les vêtements standard grand public, et n'interfère pas avec le mécanisme du fauteuil roulant.

Il désigne le fauteuil d'Adelina.

— Très impressionnant. Y a-t-il autre chose que vous aimeriez ajouter ? Sur les tissus, peut-être ?

— Ah, oui ! répond-il en ajustant ses lunettes de hipster. Nous utilisons des tissus de qualité, choisis pour leur élasticité et leur durabilité. Jetez un coup d'œil : c'est moins simple que ça en a l'air, avec des détails comme un pantalon *palazzo* à ceinture enveloppant la taille, un bouton-pression à l'arrière et une fermeture éclair facile à ouvrir. Non seulement nos vêtements sont-ils plus faciles à mettre et à enlever, mais aussi, ils facilitent la liberté de mouvement.

— Ça, c'est certain! intervient Adelina en projetant de nouveau ses bras en l'air tout en dansant dans son fauteuil.

Je ne sais pas quel genre de musique passe dans sa tête, mais j'imagine que c'est une sorte de joyeux disco.

C'est merveilleux; la recherche et l'exécution de Jake sont parfaites. Et la disposition de l'imprimé est impeccable. Mais surtout, son idée de confectionner des vêtements agréables et bien conçus pour être portés dans un fauteuil roulant me réchauffe le cœur.

— Wow, Jake. Tu veux que je te dise franchement? Je suis vraiment impressionnée. Carrément.

— Je suis content que tu aimes ça, mon ange. J'ai également l'intention de faire don de 5 % de nos ventes à des initiatives d'accessibilité et à des programmes sociaux. Qu'en penses-tu?

— Je suis époustouflée. Franchement. Qu'est-ce que je peux ajouter? Tu es génial, mon ami.

Je tape des mains au-dessus de ma tête pour montrer mon appui, lorsque les portes de l'atelier s'ouvrent devant Jonathan, qui entre avec son grand sac photo et un immense sourire au visage. Je crois rêver.

— On a besoin d'un photographe pour prendre des images d'Adelina pour ton blogue, non? dit Jake.

— Mm-hmm...

— Eh bien, j'ai trouvé notre homme pour la tâche, alors. Désolé, je voulais dire ton homme.

Wow, une autre grande surprise. Jake m'a devancée et a pris l'initiative.

— J'aime donner un coup de main quand je peux, dit Jonathan, qui a belle allure dans une chemise en denim et un jean gris délavé.

C'est étonnant. Il se dirige vers moi, me fait la bise et, en véritable gentleman, serre la main de Jake, puis celle d'Adelina.

L'air aussi excité qu'un enfant un soir d'Halloween, Jake sort le contenu entier de son coffre : une chemise, un pantalon large et une robe peignoir en coton et en soie bleue et jaune. Toutes ses pièces comportent les détails les plus exquis : ici une touche de dentelle, là un bouton de nacre.

— Très bien, mettons-nous au travail et photographions ces petites merveilles avant l'arrivée de mes autres camarades de création. Ils aiment monopoliser les lieux ; c'est un miracle que nous ayons ce studio à nous tout seuls, maintenant.

Jake tape des mains, ignorant l'unique étudiant assis au fond, qui n'a pas levé une seule fois les yeux de sa machine depuis notre arrivée.

— Ouais, bébé ! On mitraille ! s'exclame Adelina d'une voix forte et exubérante.

Nous éclatons tous de rire. Elle est vraiment tordante.

— Commençons cette séance de photos. Mon Bloody Mary m'attend au bar de l'hôtel, ajoute-t-elle.

Elle fait un clin d'œil à Jake et il le lui rend.

Cette journée pourrait-elle être plus parfaite ? Je ne crois pas.

Il y a un proverbe irlandais à propos de l'amitié :

Un bon ami, c'est comme un trèfle à quatre feuilles, on a de la difficulté à le trouver et on a de la chance de l'avoir.

Je suis en train d'apprendre que non seulement je peux partager mes amis, mais que, du coup, je peux m'en faire de fabuleux. Et c'est une importante leçon. Je lève mon verre (imaginaire).

Chapitre vingt-huit

— Je suis impressionné, Clémentine. Ce que vous êtes en train de faire, Jake et toi, pour promouvoir la diversité dans la mode, je trouve ça vraiment progressiste et intelligent, dit Jonathan en me prenant la main.

Il passe ses doigts entre les miens et des picotements me traversent. J'ai un million de battements de cœur à la minute. L'adrénaline me rend totalement euphorique et je ne veux pas redescendre. Jamais, genre.

— Merci, ça me touche beaucoup.

Nous sommes au Midi, le bistro français où nous nous sommes rencontrés par l'intermédiaire de Maddie. Nous avons remercié Jake pour sa généreuse invitation à déjeuner, mais nous l'avons laissé s'éloigner en flânant avec Adelina. Comme nous ne voulions pas nous imposer, nous avons décidé de revenir ici. Ce sont des retrouvailles, en quelque sorte, mais cette fois, à nous seuls – sans Maddie pour me chaperonner. Comme il y a tout plein de professeurs de Parsons assis autour, j'essaie de me comporter d'une façon professionnelle et de limiter mes démonstrations d'affection, même si je n'ai qu'un fantasme : écarter la bouteille de Perrier et embrasser passionnément Jonathan.

— Je ne m'attendais pas à ce que tu arrives ce matin. Ça a tout à fait ajouté de l'excitation à la rencontre, dis-je.

— J'avais tellement de plaisir à prendre des photos d'Adelina. Elle est tordante. Et tu t'y es vraiment mise en jouant l'assistante de Jake.

— Oui, j'adorais jouer son bras droit. Il est impressionnant, non ? Je trouve Jake super génial.

— Absolument. Tout comme toi, dit Jonathan – et je me sens fondre sur ma chaise.

Il passe doucement les doigts sur mes paumes et je brûle par en dedans. Chaque fois qu'on se rencontre, je suis de plus en plus amoureuse de lui.

Mes pensées romantiques sont interrompues lorsque Jonathan fait un signe de tête vers le fond du restaurant.

— Une amie à toi ? demande-t-il.

Je me retourne et surprends Ellie en train de nous fixer cachée derrière un grand manuel. Lorsque nos regards se croisent, elle détourne le sien. Ah non. Quel est son problème ? Une part de moi veut se lever et partir. Mon autre côté plus rebelle décide de rester. Je ne vais pas me laisser déranger davantage par mes camarades de classe.

Je décide d'adopter une approche différente et je dis à Jonathan que je dois aller aux toilettes. Il faut que je trouve pourquoi Ellie continue de ressurgir partout où je vais et me regarde ainsi. Je n'en peux plus ; ça devient beaucoup trop louche. Je m'arrête près de sa table.

— Est-ce qu'il y a quelque chose que tu veux me dire, Ellie ? je demande en serrant les dents. Tu n'es pas du genre à te retenir, alors ne te gêne pas.

— Euh, non. Pourquoi ?

— Chaque fois que je me retourne, tu es là en train de me fixer. À la boutique de tissus, à la cafétéria, et maintenant ici. Est-ce que tu me suis ? Qu'est-ce que je t'ai fait ?

— Rien. C'est juste une coïncidence, je te jure, dit-elle d'un air penaud.

Je détecte une sorte d'hypocrisie dans sa voix, mais il est clair qu'elle ne dira rien de plus.

En m'éloignant, je reviens à ce que disait Jonathan : que notre projet est progressiste. Ça me rappelle un article du *New York Times* que mon père m'a fait lire avant mon départ pour l'école. Le titre était « Qu'y a-t-il de si effrayant chez les filles intelligentes ? » La réponse de l'auteur m'est chère au cœur : « Il n'y a pas de force plus puissante pour la transformation de la société. » Je voudrais seulement que les filles agissent entre elles d'une façon plus courtoise et plus respectueuse.

Une fois aux toilettes, je me lave les mains et j'oublie Ellie. Je me regarde fièrement dans la glace. C'est si emballant d'être engagée dans l'évolution de la mode, de devenir un agent du changement. Même si l'industrie de la mode évolue lentement, elle va dans la bonne direction. Je suis heureuse d'être ici et de faire partie de tout ça.

— Je suis prêt à le refaire si vous avez besoin de moi pour d'autres photos, dit Jonathan dès que je reprends ma chaise. Travailler avec Jake, c'était vraiment chouette. J'aimerais que les autres marques élargissent leurs points de vue et embauchent d'autres mannequins comme Adelina. Je crois que Jake aura une immense influence sur l'industrie, et je suis content d'y contribuer autant que possible.

— Vraiment ? C'est incroyable. Je suis sûre qu'il sera enthousiaste et reconnaissant.

— Tu n'as qu'à me dire l'heure et l'endroit, et j'y serai. Si c'est important pour toi, ce l'est pour moi.

Il me donne un petit coup de doigt enjoué sur le nez.

— Et puis, ce sera fantastique pour mon portfolio, ajoute-t-il en tendant le bras vers la poivrière. Devrions-nous commander du vin pour célébrer le lancement de Bonjour Girl ?

J'hésite. En vérité, j'aimerais passer tout l'après-midi à boire du vin avec lui, mais j'ai des tas de devoirs à faire.

— Merci pour ton offre, mais je m'en tiens à l'eau pétillante. J'ai pas mal de pain sur la planche.

Il désigne la baguette du sandwich au poulet rôti que j'ai à peine touché.

— En effet, lance-t-il à la blague avant d'attaquer son steak frites.

— C'est ta faute. Tu me donnes faim d'autre chose, dis-je en tenant une frite.

Il rit.

— Alors, as-tu contacté mon amie l'avocate ? s'informe-t-il entre deux bouchées.

— Non, pas encore. Je vais l'appeler au besoin. Alors, à quelle heure est-ce qu'on se rencontre ce soir ? je demande en essayant de changer de sujet.

— Oh, c'est vrai… dit-il, l'air de ne pas être dans son assiette.

Il détourne le regard.

Je suis mal à l'aise tout d'un coup… Qu'est-ce qu'il y a ?

—Je suis vraiment désolé, Clémentine, mais j'ai du travail à faire.

Il me prend de nouveau la main, mais cette fois, je ne le laisse pas faire aussi facilement. Je suis déçue.

—Un événement de dernière minute?

—Oui, c'est la Semaine de la Mode, tu te souviens? Je n'avais pas tant de réservations, et finalement, quelque chose vient de se présenter. Je te demanderais bien de m'accompagner, mais ce serait distrayant et contre-productif. J'espère que tu comprends. Rencontrons-nous plutôt dimanche. J'aimerais t'emmener à ce restaurant français vieillot dans le Village avec une belle flambée dans la cheminée. Ça sera parfait.

J'essaie de garder une attitude positive. Allons, Clémentine, ne dramatise pas. C'est un simple change-ment de programme. Je suis sur le point d'accepter son invitation à dîner lorsque j'entends le léger tintement de mon téléphone, que j'ai déposé sur mon sac à main. Nous y revoilà. Je le regarde discrètement, et je regrette immédiatement d'avoir lu.

Mon ventre se noue, mon visage devient blanc comme la nappe, et je me mets à trembler. Je vais vomir mes frites. Je voudrais que le plancher m'avale sur-le-champ au beau milieu du bistro Le Midi.

> Le blogue de @ClementineL, Bonjour Girl, est un désastre. Ne vous donnez pas la peine de le lire. Une vraie perte de temps.

AÏE! Ça fait vraiment mal. Je sens une douleur cuisante dans mon ventre; c'est un mélange d'embarras, de honte et de peur. J'aurais dû la voir venir. Je change d'idée. Il faut que a) je prenne un verre de rouge, b) contacte l'amie avocate de Jonathan et c) trouve une façon d'arrêter ce cycle d'enfer.

L'école de mode est pleine d'éclat, de chic et de tralala. Mais parfois, elle a un côté sombre. Et je suis sur le point de partir en guerre contre lui.

Chapitre vingt-neuf

Ce n'est pas parce qu'on est en colère qu'on a le droit d'être cruel. *La femme élégante n'est jamais cruelle...*

Voilà l'une des perles de sagesse que je lis dans le livre d'étiquette de Cécile. En vérité, je veux répondre de façon méchante à Stella, dire quelque chose de vraiment dur, parce que j'ai mal. Quand est-ce que sa cruauté s'arrêtera ? Devrais-je porter plainte pour harcèlement ? Tout ce que je sais, c'est que mon cœur n'en peut plus. Je me sens épuisée et faible.

Je montre le tweet à Jonathan. J'ai besoin d'aide pour décider de ce que je vais faire.

Il a les yeux écarquillés. Il paraît vraiment en rogne et frappe du poing sur la petite table du bistro, ce qui nous attire les regards ébahis de nos voisins.

Il soulève mon téléphone de la table et prend une capture d'écran du tweet.

— Une preuve... tu en auras besoin.

— C'est vrai.

Je suis contente qu'il y ait pensé. Je suis encore trop en état de choc pour même songer à ces tuyaux.

— Tu ne peux pas laisser passer ça, Clémentine. Je ne vais pas rester assis ici en regardant Stella détruire ta réputation. Tu dois consulter mon amie. C'est non négociable. Je veux que tu l'appelles aujourd'hui.

Je réagis par un sourire mièvre.

— D'accord.

J'étais si heureuse de toutes ces réactions positives à mon blogue, ces vingt-quatre dernières heures, puis de notre séance de photos de ce matin – et maintenant, le seau d'eau glacée. Mais qu'est-ce que je suis censée faire avec un avocat? Poursuivre Stella? La nouvelle va se répandre comme une traînée de poudre à l'école et me faire passer pour la méchante. Je me sens prise au piège.

— Stephanie aura peut-être quelques idées. Elle est super intelligente, souligne Jonathan après avoir pris une gorgée d'eau.

Sa façon de le dire me rend mal à l'aise. Je me sens vraiment anxieuse, à présent, et je déteste ça.

Il remarque la tristesse dans mes yeux.

— Tu ne peux pas te laisser décourager par Stella. Ce qu'il faut que tu fasses, c'est la coincer, elle, là où ça fait mal... dit-il d'une voix qui s'estompe.

Je vois qu'il pense très fort.

— Est-ce qu'elle n'a pas une sorte de commerce?

— Mm-hmm. Des autocollants de mode. Les affaires vont très bien, apparemment, dis-je en lui montrant le profil Instagram de la compagnie: près de 100 000 abonnés. Ça me dégoûte.

— Elle utilise peut-être des pratiques commerciales contraires à l'éthique pour attirer des clients et des abonnés. Y as-tu songé? On dirait qu'elle est capable de tout.

— J'imagine...

La pensée de faire de la recherche sur l'entreprise de mon ennemie jurée me donne envie de vomir.

— Je ne sais pas trop où vérifier.

— Au commencement : c'est toujours un bon endroit.

Il me fait un clin d'œil.

— Qu'est-ce que tu veux dire ? je demande, perplexe.

— Elle est peut-être coupable de ce dont elle t'accuse… avance-t-il comme un détective privé sur une bonne piste.

— Wow, je n'ai jamais pensé à ça. Tu es brillant ! dis-je, reconnaissante pour le conseil.

Cet homme a vraiment tout pour lui.

Je me rapproche et nos nez se touchent presque, maintenant. Je baisse la voix au même niveau que son murmure.

— L'enquête officielle est en cours. Et elle sera menée avec tact, classe et style.

Je mets mes Ray-Ban et je regarde par-dessus pour ajouter un faux air de mystère, et Jonathan rit de bon cœur. Il me fait une chiquenaude sur le nez. Je regarde ses lèvres… ces lèvres pulpeuses. Un bref instant, j'oublie l'intimidation.

Au moment même où nous allons nous embrasser, une voix retentissante et familière arrive de la rue. Je tourne la tête et je vois Jake, debout à la fenêtre du restaurant, qui tient son iPhone bien haut au-dessus de sa tête. Des gouttes de sueur dégoulinent de son front et des deux côtés de son visage. Il paraît tout rouge et à bout de souffle, et utilise son écharpe de soie pourpre comme un mouchoir pour s'essuyer le visage. Je sais déjà de quoi il s'agit. J'imagine qu'il a interrompu son propre rendez-vous du déjeuner pour venir m'alerter.

— *OH MY GOD*, CLEM, LA MAUDITE CONNE RECOMMENCE! Peux-tu croire ces niaiseries-là? crie-t-il, et je veux courir jusqu'à la cuisine pour me cacher.

Maintenant, tout le bistro est au courant de ma situation et l'appétit de chaque client est coupé. Au secours.

— Qu'est-ce qu'on fait?

Jake crie encore à travers la salle.

Je sens un silence gêné alors que des dizaines d'yeux me regardent fixement, y compris ceux d'Ellie. Morte de honte, je prends une teinte bordeaux foncé. C'est très approprié; mon héritage français entre en jeu et je me tourne vers Jonathan pour poser la seule question logique dans les circonstances.

— Alors, où il est, ce verre de rouge que tu m'as offert?

L'élégance est un état d'esprit. La femme élégante est calme et ne perd jamais son sang-froid. C'est l'effet direct de sa confiance en elle-même. Confrontée à une situation stressante, elle essaie toujours de maintenir un état de grâce...

Maintenir un état de grâce? Après avoir été intimidée par Stella et gênée par Jake au milieu d'une salle remplie de professeurs de Parsons? Bien essayé, Cécile, mais ça ne marche pas.

Je fais signe à Jake d'arrêter de crier. J'aimerais qu'il soit plus discret. Mais je me rappelle son but. Je sais qu'il a de bonnes intentions et je trouve réconfortant d'avoir un ami aussi bienveillant.

D'un signe de la main, Jonathan indique à Jake de s'approcher et lui commande une eau pétillante avec un zeste de lime, pour que mon ami puisse se calmer.

— Où est Adelina ? je lui demande une fois qu'il a pris une chaise.

— Elle est au restaurant. Il fallait que je vienne te voir en courant. C'est plus important que le déjeuner !

Comme la nourriture est au sommet de sa liste de priorités, je lui suis reconnaissante d'avoir interrompu son rendez-vous pour moi.

Je lui explique notre stratégie. En quelques secondes, le visage de Jake s'allume comme l'arbre de Noël du Rockefeller Center.

— Oooh, j'aime ça ! Passons rapidement à cette enquête ! Je suis sûr que tu trouveras de quoi salir la réputation de cette conne, lance Jake, qui semble prêt à passer à l'action, mais qui doit d'abord se calmer.

— Pas si vite. Il faut réfléchir. On ne veut pas perdre le montant de notre bourse, n'est-ce pas ?

Je soulève un sourcil pour faire comprendre le message.

— Bien. Très juste, répond Jake.

Je sais qu'il n'aime pas qu'on lui dise de modérer son enthousiasme, mais je dois m'assurer que la situation ne dégénérera pas.

— Je pense qu'il faut s'emparer de son dossier scolaire. Voir ce qu'on peut y trouver, dit Jake en se frottant les mains.

— Et si on demandait à Maddie de nous aider ?

Hmmm. J'avoue que la pensée m'a traversé l'esprit, mais j'hésite à l'impliquer là-dedans. Elle me dira de formellement porter plainte contre Stella, ce que je ne veux surtout pas faire.

— Je ne sais pas trop si on devrait impliquer Maddie.

— Puisque tu le dis, Clem, répond Jake, mais je ne sais pas trop s'il pige.

Il prend vraiment à cœur ces affronts sur Twitter. Jake a avoué être la cible de certaines blagues blessantes à l'école secondaire. Cela expliquerait pourquoi il fait de ma bataille la sienne.

— Et si tu utilisais ton charme pour recueillir de l'info de tes copains à l'école ? demande Jonathan à Jake. De mon côté, je vais fureter en ligne et je vous ferai savoir ce que j'aurai trouvé. N'oublie pas d'appeler Stephanie, hein ?

Il me regarde et je sais qu'il est sérieux.

— Je vais l'appeler. C'est promis.

— Il faut que j'y aille, dit Jonathan en se levant pour partir. Désolé, j'ai une réunion. On se reparle plus tard.

Il se penche pour un rapide baiser et jette de l'argent sur la table. Je ne peux pas croire que ce déjeuner suppo-sément romantique se soit changé en séance de stratégie pour une enquête sur Stella.

Jonathan disparaît dans la rue passante et Jake le regarde partir.

— Quel bel amoureux ! Il est tellement séduisant, Clem, soupire-t-il.

— Je sais. Il faut que je me pince. Hélas, je crains que ça ne dure pas, avec toutes les belles femmes qui circulent sur le campus. Et avec mon drame personnel…

— Oh, arrête ! Qui te met ces terribles pensées dans la tête ?

— C'EST TOI! dis-je en lui donnant un coup de poing sur l'épaule.

— Alors, qui est Stephanie? demande Jake en passant à la chaise de Jonathan.

— Une amie à lui, avocate. Il croit qu'elle peut m'aider.

— Une avocate? Vraiment? Wow, il fait vraiment monter ça d'un cran. J'aime ça. Appelons-la tout de suite.

— Pas question! Pas d'ici! Je l'appellerai plus tard d'un endroit tranquille, dis-je.

Je me retiens de lui dire qu'il est l'une des principales raisons pour lesquelles cet endroit est si bruyant.

— On dirait que Jonathan tient beaucoup à ce que tu l'appelles. Il veut t'aider, Clem. Moi aussi.

— Je sais. J'apprécie vraiment. C'est vrai. Je suis tout simplement très déçue de la publicité négative que ça va attirer à mon blogue, juste au moment où ça commençait si bien.

— Tu sais ce qu'on dit…

— Qu'il n'y a pas de mauvaise publicité?

— En plein ça, ma fille.

Il s'abat sur le reste de mes frites.

— Tu peux toutes les prendre. Stella m'a coupé l'appétit.

— T'en fais pas.

— Je vais juste rester ici et te regarder manger en réfléchissant à ce qu'il faut faire ensuite.

Jake met ses grands verres fumés rétro tout en terminant mon déjeuner, l'air du plus intrigant d'entre nous.

Chapitre trente

J'entre discrètement dans le bureau de Maddie. Comme elle est au téléphone, je la contourne, sur la pointe des pieds, et m'assois dans l'une des deux chaises réservées aux visiteurs. Je tends le bras vers un pot situé sur son bureau et je mets dans ma bouche un *gummy bear*. C'est la fin de l'après-midi et je dois bien avoir faim, après tout, puisque Jake a mangé ce qu'il y avait dans mon assiette.

L'espace reflète son style : de curieuses sculptures acquises au cours de ses voyages à l'étranger, des photographies de défilés de mode, des piles de livres, des esquisses de collections de mode – certaines d'elle, d'autres de ses étudiants –, soigneusement accrochées derrière son bureau, et des tas de fleurs dans de jolis vases de verre de Murano.

Elle a dans le sang un amour de ce qui est vintage. Elle possède l'un de ces téléphones rétro avec un cadran rotatif et un cordon en spirale, rouge cerise vif. Elle est assise dans son fauteuil de cuir blanc, devant les fenêtres qui donnent sur la Cinquième Avenue, et tortille le cordon autour de son index. Je ressens un pincement d'envie. Elle s'est rendue au sommet. J'espère y arriver, moi aussi. C'est la raison de ma visite : protéger mes intérêts afin de pouvoir poursuivre mon projet avec élégance.

Elle se retourne vers moi. Ma visite ne la prend pas par surprise ; après avoir quitté le bistro, je lui ai texté pour lui faire savoir que je passerais lui poser des questions. Elle sourit et me fait un clin d'œil complice en terminant son appel. Elle porte aux cheveux une magnifique barrette qui contraste agréablement avec ses lunettes à monture verte. Ses nombreux bracelets tintent alors qu'elle joue avec le cordon du téléphone.

Maddie ne sait pas du tout pourquoi je suis venue. Même si je ne veux pas l'entraîner là-dedans, elle est la seule personne du campus à qui je fais confiance, à part Jake. J'avoue qu'il me semble injuste de vouloir dénicher des ragots sur une camarade de classe, mais j'ai fini par céder et j'ai dit à Jake que je lui demanderais. Apparemment, c'est pour mon bien.

— Je suis tellement désolée, Clémentine. C'était le doyen d'une école sœur en Europe. Nous essayons d'organiser un programme d'échange pour nos meilleurs étudiants, l'an prochain. Il faut beaucoup de temps pour les convaincre, mais on y arrivera.

— Ça me paraît amusant.

Je devrais peut-être faire une demande. Ce serait ma seule chance de m'éloigner le plus possible de Stella.

— Alors, quoi de neuf ? demande Maddie en faisant pivoter son fauteuil tout en parlant.

— Tu te rappelles quand je t'ai parlé de Stella, la fille qui a tweeté des conneries sur moi ?

— Bien sûr. Ne me dis pas qu'elle a recommencé ?

Elle baisse ses verres chics vers le bout de son nez et me regarde droit dans les yeux.

Je regarde mes chaussures, gênée de l'avouer. Je suis désespérée. Devrais-je le nier ? Faire semblant qu'il n'est rien arrivé, balayer ça sous le tapis ? Sous le regard déterminé de Maddie, je n'ai pas d'autre choix que d'avouer la vérité. Je vois qu'elle connaît déjà la réponse.

— Oui, elle continue de tweeter à propos de moi. Et maintenant, c'est à propos de mon blogue.

Je le lui avoue en retenant mes larmes. Pas facile de faire comme si ça n'avait aucune importance quand ça en a pour vrai.

— Vraiment ? D'accord, Clémentine. Ça suffit. Je l'appelle à mon bureau pour une rencontre. Il faut que ça cesse.

— Non ! S'il te plaît, ne fais pas ça. Ce n'est pas pour ça que je suis venue te voir. Je ne suis pas une moucharde. Je veux seulement de l'information… dis-je vaguement.

Je sais que ça paraît ridicule, et maintenant, je regrette d'être venue la voir.

Perplexe, elle me regarde de ses grands yeux, et soulève un sourcil.

— Quel genre d'information ?

— J'essaie de savoir si Stella a déjà fait quelque chose de semblable. Ou de pire…

Maddie secoue la tête.

— Qu'est-ce que tu cherches, jeune fille ? J'espère que tu ne t'abaisseras pas à son niveau. Tu sais qu'on ne répare pas une injustice par une autre, hein ?

J'entends la voix de mon père qui se répercute au fond de ma tête, et qui me fait le même discours. Je sais aussi que ma mère serait plutôt en faveur du complot de revanche de Jake.

— Je suis désolée, Maddie. Je n'aurais pas dû te demander quoi que ce soit. Je voudrais seulement comprendre pourquoi elle continue de m'attaquer ainsi.

Maddie inspire à fond, puis soupire.

— Tu sais que je ne peux pas te révéler d'information personnelle sur des étudiants. Tous les dossiers d'étudiants sont confidentiels. Je pourrais perdre mon emploi, Clémentine.

Elle paraît offensée, et je me sens affreuse de l'avoir mise dans l'embarras.

— Tout ce que je peux dire, c'est que Parsons a des règles très strictes dans son code de conduite. On s'attend à rien de moins qu'un comportement exemplaire de la part de nos étudiants.

Je n'ai pas apporté le livre d'étiquette de Cécile, mais je doute que la femme élégante demande à une parente de conspirer avec elle pour commettre un geste illicite. Qu'est-ce qui m'a pris ?

— C'est une erreur. Oublie que je t'ai demandé ça.

Je me lève pour partir.

— Attends, Clémentine, j'ai une idée.

Maddie s'adoucit, car elle voit mon regard éperdu.

— Et si je demandais autour pour voir si d'autres enseignants ont eu affaire à elle auparavant; ils savent peut-être quelque chose ?

Je lui fais un sourire de reconnaissance.

— Merci. C'est vraiment important pour moi.

Puisque nous sommes derrière des portes closes, je lui donne une accolade.

— Ne t'en fais pas pour moi. Et peu importe ce que tu fais, n'en parle pas à mon père. Il va me faire expulser en France !

Maddie rit.

— D'accord, promis, juré. Je te ferai savoir ce que je découvre.

Dès que je quitte le bureau de Maddie, je tombe sur Ellie, qui est debout dans le couloir. Sa présence menaçante me désarçonne.

— Salut, dit-elle.

— Salut, Ellie, dis-je d'un ton impassible.

Ça ne peut pas être une coïncidence ; elle me suit carrément.

Elle regarde dans le couloir vide avant de me faire un signe de la tête pour que je m'approche d'elle. J'hésite ; on dirait que nous sommes impliquées dans une sorte de transaction de drogue.

— J'ai ce que tu cherches, murmure-t-elle.

— Quoi ? Qu'est-ce que tu veux dire ?

Je ne sais pas trop à quoi elle veut en venir, mais je ressens un mélange de peur et d'ivresse.

— Sur Stella. Je sais quelque chose... qui pourrait la démolir.

J'ai les yeux grands comme des soucoupes. Je la regarde fixement, incrédule, pendant quelques secondes, avant de lâcher un demi-sourire. C'est intéressant.

— Vraiment ? Qu'est-ce que tu sais ?

— Suis-moi.

— Jusqu'où ?

Elle ne répond pas. Elle se contente de me regarder fixement de ses yeux trop maquillés. Puis-je lui faire confiance ? J'ai des doutes, de gros doutes. Mais il faut que je décide en une fraction de seconde si je suis prête à jouer son jeu et à prendre un risque.

Je me répète les paroles de Maddie : « Dans cette école, on s'attend à rien de moins qu'un comportement exemplaire. » Suivre Ellie peut mettre en jeu mon avenir à Parsons, mais pour une raison quelconque, ma rebelle intérieure entre en action. C'est New York, et il faut vivre dangereusement. J'ai le goût du risque dans le sang, surtout le sang du côté de ma mère. Et puis mon amour-propre l'exige.

— D'accord, Ellie. Montre-moi ce que tu as. Allons-y.

Chapitre trente et un

En suivant Ellie dans le corridor, il me vient à l'esprit qu'elle est non seulement mystérieuse, mais également fascinante. Aujourd'hui, elle porte un chatoyant caftan pourpre, fait d'un tissu vaporeux et éthéré par-dessus un jean noir et serré, avec des bottes de motard aux pieds, du khôl aux paupières et du rose indien aux lèvres. Le look est celui d'une sorcière disco, et j'avoue qu'elle porte bien ce style bigarré. Elle est un mélange improbable de danger, de réserve et d'attitude zen.

Je me suis peut-être trompée sur son compte. Étant donné mon récent comportement indécent dans une boîte de nuit du centre-ville, elle est peut-être une femme plus élégante que moi. Elle s'occupe tellement bien de moi que je me demande si je l'ai mal jugée.

Je la suis sur deux volées de marches et nous franchissons plusieurs portes et corridors. Je vois que nous sommes arrivées à une section de l'école différente de l'administration. Je me demande bien où elle m'emmène et ce qu'elle a dans sa manche de styliste. Une chose est certaine : je suis intriguée par ses manières audacieuses.

Ellie marche vite et j'ai du mal à la suivre. Après avoir franchi en vitesse les dernières portes, elle regarde autour avant d'entrer dans une pièce. Elle me fait signe de la suivre.

D'instinct, je sais que nous sommes dans un espace interdit aux étudiants. Je n'en suis pas absolument certaine, mais d'après les classeurs qui recouvrent les murs, j'imagine que c'est la pièce où sont conservés tous les dossiers d'étudiants de Parsons.

J'ai un frisson dans le dos à la pensée d'être surprise ici : je sais que Maddie ne me le pardonnerait jamais. Je secoue la tête et je pointe du doigt la sortie, mais Ellie me saisit par le poignet et me fixe de son regard profond et pénétrant, en murmurant :

— Qu'est-ce qui ne va pas ? Tu hésites ?

— On ne devrait pas se trouver ici. Faut s'en aller. J'ai trop à perdre.

— Pardon ? Et moi ? riposte Ellie, les yeux exorbités.

Elle paraît menaçante et je ne sais pas ce que je crains le plus : la colère d'Ellie ou le mépris de Maddie. Me voilà dans de beaux draps.

— Écoute, Clémentine. Je sais ce que je fais. C'est peut-être difficile, oui, mais tu dois me faire confiance. Ce n'est pas le moment de reculer, d'accord ?

On entend des pas de l'autre côté de la porte. Elle se retourne brusquement et pose l'index sur sa bouche. J'ai de nouveaux frissons dans le dos – mais cette fois, ce n'est pas de la peur. C'est davantage de l'euphorie. J'imagine qu'Ellie a raison : ce n'est pas le moment de reculer.

Après quelques secondes, elle tend le bras vers un classeur élevé et en tire des dossiers avec la facilité d'une secrétaire de cabinet juridique. Elle s'y retrouve, c'est clair.

J'ai la tête qui tourne. Est-ce qu'elle a aussi parcouru mes dossiers personnels ? A-t-elle déniché sur ma famille une information qui pourrait me laisser à nu et vulnérable ? Je me mets à paniquer. Encore.

— Qu'est-ce que tu fais là, Ellie ?

— Chuut. Laisse-moi d'abord le trouver.

Elle me fait signe de m'écarter.

J'imagine le pire : Parsons qui appelle mes parents pour leur faire savoir que j'ai été expulsée. Moi dans les rues de Paris, mendiant des euros avec un gobelet en carton. L'image est insupportable.

— On ne devrait pas se trouver ici, Ellie. Ces dossiers-là sont confidentiels. J'ai changé d'idée. Je laisse tomber ton plan.

— Vraiment ? Pas question, marmonne-t-elle tout en parcourant des classeurs.

Ses yeux s'arrêtent à un dossier en particulier et je reste là, les mains sur les hanches.

Le suspense me tue. Je suis tentée d'ouvrir le classeur pour voir ce qu'elle regarde. Mais quelque chose m'en empêche au plus profond de mes entrailles.

— Alors, qu'est-ce que c'est ? je demande.

Elle soupire bruyamment, et sa frange noire voltige au-dessus de son grand front. J'ai lu quelque part qu'un grand front est un signe d'intelligence, ce qui veut dire qu'Ellie sait ce qu'elle fait. Mais est-ce vrai ? Et surtout, qu'est-ce que moi, je fais là ?

Ellie paraît exaspérée par mon manque d'assurance.

— Puisque tu veux vraiment le savoir, ce sont les ultimes projets, collections et présentations des étudiants des cinq dernières années. En même temps que les notes finales et les commentaires de tous les professeurs, ajoute-t-elle d'un ton nonchalant sans même lever la tête.

Oh my god. Je réfléchis à fond de train. Je sourcille. Je suis sur le point de redire à Ellie que je vais partir, lorsque nous entendons toutes les deux une porte qui s'ouvre et des pas qui viennent dans notre direction. Elle remet en vitesse le dossier dans le classeur.

J'ai le cœur qui débat. Je me cache avec Ellie derrière une grande bibliothèque. Nous nous regardons fixement en silence, en essayant de rester invisibles de la petite fenêtre de la porte. Nous sommes si près que je sens son haleine sur mon visage. Elle me regarde droit dans les yeux, et je crois bien reconnaître de l'honnêteté dans ces yeux fortement maquillés. J'expire du fond de mon ventre.

Lorsque la personne qui a produit les bruits de pas est hors de portée de voix, Ellie retourne en vitesse au classeur et en sort un dossier en carton. Elle l'ouvre et me le tend avec un éclair dans les yeux.

— Pourquoi me montres-tu ça? Il est vide.

— C'est justement ce que je veux dire. Voilà.

— Qu'est-ce que tu veux dire, "voilà"?

Je deviens impatiente. Est-ce une blague?

— Regarde le nom sur le dossier. Ensuite, fais une recherche sur ton téléphone. Tu auras toutes les réponses qu'il te faut.

Le nom sur le dossier est celui de Brian Kim, et sous son nom, il est écrit *Étudiant étranger – Corée du Sud*. Je respire profondément, avec exaspération, et je tape son nom dans le minuscule fureteur de mon téléphone.

J'ai les yeux presque exorbités. Je ne peux pas croire ce que je vois : le jeune Coréen vend une collection d'autocollants tendance qui servent à accessoiriser les sneakers, sacs à main, poches de jeans, étuis de téléphone, casquettes et autres articles à la mode.

Il y a de nombreuses photos de son travail aux couleurs de néon, et des liens vers des blogues et magazines de mode asiatiques. D'après ce que je lis sur son site Web, il était également finaliste pour un prix prestigieux.

Le travail paraît identique à la collection de Stella. Ou est-ce l'inverse ?

— Wow. Alors, pourquoi il est vide, le dossier ? Il a étudié ici à quel moment ?

— C'était il y a trois ans. Quant aux documents, risque une hypothèse…

C'est sûrement Stella. Incroyable : Jonathan avait raison. Elle est coupable de ce dont elle m'a accusée : être une impostrice.

Je fais un *high five* à Ellie et elle me sourit pour la première fois depuis notre rencontre : un sourire magnifique et fascinant. Au diable la femme élégante, Ellie est maintenant une reine à mes yeux.

Reste une question : que faire de cette nouvelle information ?

Chapitre trente-deux

Je devrais être aux anges.

Je viens de découvrir à propos de Stella des détails dégoûtants qui me donnent les commandes. Les rôles seront bientôt renversés. Plus question de supporter son intimidation. Ce week-end, j'ai fait d'autres recherches sur Brian Kim. Son entreprise n'est pas seulement florissante en Asie : elle casse la baraque. Il vend ses pièces en ligne à des clients du monde entier. C'est suffisant pour qu'il fasse arrêter Stella et son commerce de contrefaçon. Je prends une gorgée d'eau pétillante et souris à Jonathan pendant qu'il lit attentivement le menu.

Je suis assise devant lui à La Ripaille, l'un des plus vieux restaurants du West Village. Selon Jonathan, son propriétaire fouille les marchés locaux pour y dénicher les fruits et légumes les plus frais, en choisissant les plats du jour à partir de ses trouvailles.

Le restaurant est magnifique, avec une adorable terrasse et une cheminée. Des chandelles à chaque table font ressortir des affiches françaises accrochées aux murs, et il y a des fleurs dans toute la salle. Dans un coin, une horloge antique de 1846 est réglée sur l'heure d'ouverture du restaurant. Je trouve tout ça super charmant.

Mais même les meilleurs plans sont sujets à des effets inattendus du hasard. Notre idée d'un dîner romantique a brusquement changé quand j'ai dit à Jonathan et à Jake ce que j'avais découvert dans les archives des étudiants.

Jake a voulu discuter de l'affaire dès que je lui ai texté les détails. On ne pouvait pas se réunir immédiatement, puisque Jonathan était occupé au travail, et Jake s'est alors invité à notre dîner de rendez-vous du dimanche soir. Il est assis juste entre nous, devant la belle flambée de la cheminée. Jonathan est un peu agacé, mais, toujours gentleman, il garde son flegme par égard pour moi. Ça le rend encore plus adorable à mes yeux.

Je vois Jake attaquer son assiette de foie gras, et ça me fait rigoler. Je constate qu'il est emballé, mais je ne sais pas trop si c'est par le contenu de son assiette ou par ce que je lui ai dit sur Stella.

— Alors, quand vas-tu raconter au monde entier que Stella est une crapule ? demande Jake avec un sourire malin.

Je sais que s'il était à ma place, il aurait déjà envoyé un communiqué de presse sur elle.

Je lève mon verre et prends une longue gorgée de Perrier.

— Je réfléchis soigneusement à mes options. Je ne veux pas que ça ait des retombées négatives sur Bonjour Girl.

— Comme vous voulez, madame la jeune patronne, dit Jake, enjoué.

En vérité, après avoir découvert des détails sur Stella, je suis encore plus déterminée à réussir dans mon nouveau projet en ligne. Je sais que j'ai un concept original qui met en valeur des gens talentueux et créatifs dont l'âme rayonne, contrairement à Stella. Et Dieu sait que le monde en a bien besoin, ces temps-ci.

Gonflée par ma découverte, j'ai passé toute la journée et la soirée d'hier enfermée dans ma chambre, à chercher de fascinantes personnes à interviewer pour mon blogue. Qu'est-ce que j'ai trouvé comme mine d'or, y compris une jeune femme qui crée des sacs à main fabriqués de coton pakistanais tissé par des artisans locaux!

Je lui ai envoyé des questions par Skype et elle y a répondu dès le lendemain matin. Aussitôt mon nouvel article terminé, je l'ai téléchargé, et les réactions d'aujourd'hui ont été incroyables. J'ai même reçu un message d'un label écoconscient qui m'offrait des échantillons. J'arrive pas à y croire.

— Ellie a fait un sacré 180°, n'est-ce pas? Incroyable comme elle est culottée, lance Jake en prenant une gorgée de son eau pétillante.

Il ne boit pas de vin, lui non plus: il va retourner plus tard à l'école pour travailler à sa collection.

— Vraiment, dis-je. Elle est de notre côté. J'imagine qu'il lui a fallu un moment pour se montrer sous son vrai jour.

— Mais quels sont ses motifs? demande Jonathan en prenant une tranche de pain.

Il ne semble pas aussi prêt que Jake et moi à faire confiance à Ellie.

— Qu'est-ce que tu veux dire? je demande. Elle est du côté des bons. J'ai eu tort à son sujet.

— Pfff, tu crois vraiment qu'elle fait ça par bonté de cœur? réplique Jonathan en sourcillant.

Il me trouve naïve. C'est décevant. Pourquoi est-ce qu'on ne peut pas tous être d'accord ?

— Oui, je le crois, en toute honnêteté. Je sais que c'est fou après avoir vu à quel point elle était bizarre, mais maintenant, je fais confiance à Ellie. Je crois qu'elle essaie de nous aider.

Je n'aime pas qu'on remette en question mon intuition.

— Ce n'est pas ce que tu m'as dit quand elle s'est moquée de toi devant toute la classe, objecte Jonathan. Surveille tes arrières, Clémentine. Ça pourrait être un piège.

— Tu as tort, Jon. Je crois vraiment qu'Ellie a changé d'attitude envers Clémentine lorsqu'elle a entendu parler de Cécile, intervient Jake.

Jonathan me fixe d'un regard interrogateur.

— Qui est Cécile ?

Je hausse les épaules. J'imagine que j'ai été trop occupée à me plaindre de mes camarades de classe et de mes parents pour aborder les autres générations.

— Mon arrière-grand-mère. Elle jouissait d'une certaine faveur dans quelques cercles parisiens, dis-je en essayant de minimiser l'importance de tout ça.

— Quelques cercles ? Vraiment, chérie ! C'était une muse de Madame Grès, l'une des plus grandes créatrices de tous les temps ! s'écrie Jake.

J'ai envie de me glisser sous la table en rampant. Nos voisins se retournent et me fixent, tandis que le serveur se précipite vers nous pour voir ce qui se passe. J'essaie de faire baisser le ton d'un cran à Jake en lui tendant une nouvelle tranche de baguette, mais il n'en fait aucun cas.

— Vraiment ? demande Jonathan en me regardant, médusé.

— Oui, c'est vrai, je finis par répondre.

Au fond, je suis fière d'avouer que j'ai une aïeule fabuleuse. Elle me donne de la force mentale et de l'inspiration.

— Tu m'étonnes, dit Jonathan en secouant la tête, un petit sourire narquois aux lèvres. Ainsi donc, c'est de là que ça vient, tout ce style, cette élégance et cette classe.

Jonathan me prend la main et j'ai de nouveau la sensation d'être aux anges.

Jake roule des yeux. Pas facile d'être avec un couple d'amoureux.

Je décide qu'il est temps de partager des secrets avec mes deux garçons préférés.

— Oh, et Maddie m'a récemment offert un cadeau : le manuel d'étiquette de Cécile. Il est rempli de conseils sur la façon d'être une femme élégante.

— Oooh, il faut que je le lise ! roucoule Jake.

— J'en ai suivi quelques-uns, dernièrement, et ils m'ont bien servie. Et puis j'ai décidé d'en appliquer quelques-uns à Stella.

Jake dépose sa fourchette.

— Alors, qu'est-ce que le livre te suggère de faire, maintenant, ma chérie ?

Il se penche d'un air de conspirateur.

Je respire à fond avant de répondre :

— D'agir avec grâce, tact, intelligence et classe.

— Pfff, c'est tout ? C'est un peu ennuyeux, non ? Qu'est-ce que le livre dit d'autre ? demande Jake.

— Eh bien… dis-je en me demandant si je devrais citer des passages du livre.

Je me dis que non ; mieux vaut rester simple.

— Ouais, c'est tout. J'ai toutes les ressources nécessaires pour régler ça avec tact.

Jake secoue de nouveau la tête. Ça ne lui plaît pas. Pas du tout.

— Merde, Clem. Je m'attendais à davantage de toi et de Cécile. C'est plutôt endormant.

Il est déçu. Il veut que je riposte, et durement. On en a parlé un million de fois. Ça devient épuisant. Je suis en train de perdre ma détermination à discuter avec mon ami. Et si Jake avait raison ? Avant que je puisse dire quoi que ce soit, il se lève de table, se dirige vers le serveur et lui tend sa carte de crédit, vexé.

— Et le respect de soi ? crie-t-il depuis l'avant de la salle. Cécile ne t'a rien enseigné là-dessus ?

Il fait une sortie spectaculaire et court vers la rue.

Le geste fracassant de Jake nous laisse sans voix, Jonathan et moi.

Mon ami a peut-être raison : je devrais envisager des points de vue différents. On verra quelle option je choisirai après avoir consulté l'avocate demain matin.

Chapitre trente-trois

En entrant dans le bureau de Stephanie, l'amie avocate de Jonathan, j'ai soudain un serrement à la poitrine. Je ne peux pas l'expliquer, mais c'est réel.

Je ne sais vraiment pas pourquoi je me sens aussi anxieuse. Après tout, j'ai eu un merveilleux dîner avec Jonathan, hier. On est partis les derniers après que le serveur nous a poliment avertis qu'il fermait pour la soirée. On est restés debout devant le restaurant, à nous embrasser pendant un certain temps, avant de prendre un taxi pour retourner à Brooklyn, où j'ai insisté pour qu'on se sépare. Après la gênante scène à la boîte de nuit, j'essaie de cultiver un air de mystère et d'attiser les flammes du désir. Je suis heureuse de signaler que ça marche.

L'entrée du cabinet de Stephanie ressemble à l'intérieur d'une boutique Ralph Lauren. C'est si raffiné ; je crécherais volontiers ici en permanence et je m'y sentirais chez moi.

Les murs sont couverts de photos noir et blanc de défilés et de campagnes publicitaires exclusives. Sans doute les photographies de Jonathan : je reconnais son style distinctif. C'est ainsi qu'ils se connaissent.

Il y a également des tas de livres reliés, alignés contre les murs, qui forment un étalage impressionnant. Je m'en approche, tire d'une étagère un exemplaire de *Gatsby le Magnifique*, et palpe les pages à la tranche dorée. Ça me fait penser : j'adore tellement lire et j'ai si peu de temps pour mon passe-temps préféré, ces temps-ci. Je soupire en me rappelant que cette phase de ma vie est temporaire et que je me remettrai bientôt à lire des romans.

J'essaie de rester calme, en me remémorant que moi aussi, je suis en train de lancer une entreprise de mode et qu'un jour, bientôt, j'espère pouvoir me permettre un bureau chic avec mon propre conseil juridique. Jusque-là, je dois être reconnaissante pour les cadeaux qui m'arrivent en chemin.

Je me présente à la réceptionniste et je m'assois dans l'un des fauteuils bas, de style moderne. J'essaie de me détendre. Après tout, je suis venue pour une amicale consultation juridique sur une ridicule attaque sur Twitter, et non pour une poursuite majeure. En fin de compte, ce n'est que de la cyberintimidation, et je n'en mourrai pas. J'espère bien, en tout cas.

D'un côté, je me sens moche d'avoir déterré des ragots sur Stella. Est-ce la bonne façon de riposter ? Et puis, je me sens mal pour elle, et ça me hérisse qu'elle n'ait pas pu trouver son propre concept de mode. Elle ne s'est pas dit que Parsons le découvrirait tôt ou tard ?

Je me demande quel genre de conseil je recevrai de Stephanie. Envoyer une demande formelle pour faire cesser Stella ? Ou laisser tomber, tout simplement ?

Mes pensées sont interrompues par l'entrée d'une jeune femme grande et mince. Elle a de longs cheveux d'un blond cendré et les jambes les plus longues que j'aie jamais vues, et porte une robe de tartan, un blouson de moto noir, avec des bottes assorties. Elle a l'allure d'un top-modèle. La plupart des avocats ne sont pas comme ça.

Je ne me sens pas à ma place ici, en chemisier rose bonbon et jupe colorée à motif d'ananas, avec un foulard dans les cheveux. Et je me sens petite, toute petite. Elle s'approche de moi en se pavanant, et je me répète un mantra que j'ai lu dans *Teen Vogue* : « Je ne suis pas définie par mon corps. » Ce mantra est censé m'aider à régler mes problèmes d'estime de soi. Jusqu'ici, ça ne marche pas.

— Clémentine ? Salut ! C'est merveilleux de te rencontrer !

Je hoche la tête.

— Oui, merci de me recevoir. J'apprécie vraiment.

Je lui serre la main et il me vient à l'esprit que j'ai probablement l'air d'une gamine de cinq ans à côté de cette amazone *glamour*. Autant demander des conseils juridiques à Gigi Hadid. Je sais que l'attrait physique et l'intelligence ne s'annulent pas, mais cette créature me rend de nouveau anxieuse. À fond.

Je prône la diversité et je suis tout à fait contre le *body shaming*, mais je suis humaine et cette sublime jeune femme éveille en moi de vieilles insécurités...

Je ne suis pas définie par mon corps... Je ne suis pas définie par mon corps...

— Jonathan m'a tout dit sur toi ! lance-t-elle avec un sourire éclatant.

Tout sur moi ? Hmmm. Qu'est-ce qu'il a dit ? Que je suis victime d'un ridicule crêpage de chignon sur Twitter ?

Ou que je me suis rendue complètement ridicule en dansant dans une boîte quelconque ? Je me sens idiote et tellement petite. Je voudrais me cacher sous sa coûteuse table à café.

Je la suis jusque dans son bureau et mon cœur se serre encore une fois. L'espace est spectaculaire, avec une vue sur le bas Manhattan que la plupart des gens n'aperçoivent que dans les films. Elle prend place derrière son luxueux bureau, entre deux bouquets de fleurs fraîchement coupées. Partout, il y a des gerbes de pivoines blanches et des piles de livres magnifiques.

J'envie sa coiffure, son bureau, sa garde-robe et ses fleurs. J'essaie de me rappeler les paroles de *Scars to Your Beautiful*, la chanson d'Alessia Cara sur l'image de soi et l'amour de soi.

J'essaie de repousser mes insécurités, mais c'est difficile. Pourquoi me sentir tellement minable face à cette femme ? Est-ce qu'elle fait ressurgir des problèmes de mon passé ? Fort probablement. Et Dieu sait qu'il y en a des tonnes. Des problèmes avec mes parents, surtout ma mère, si dominatrice, si jalouse, et la trahison de mon premier amour. La liste est longue.

Je ne suis pas définie par mon corps... Je ne suis pas définie par mon corps...

Allons, Clémentine, tu dois tenir le coup. Stephanie te fait une faveur, tu n'as pas de quoi t'inquiéter. Vraiment ? Mon esprit se remplit d'idées noires : elle et Jonathan partagent des goûts similaires en termes de décoration, de mode et de livres. Qui est cette belle mystérieuse et comment se sont-ils rencontrés ?

— J'espère que tu n'as pas eu trop de difficulté à trouver mon bureau. Je sais que tu étudies en ville, dit-elle en rejetant ses cheveux et en se calant dans son fauteuil.

Elle fait pivoter un Montblanc hors de prix entre ses doigts délicats. Comment a-t-elle pu se payer si jeune un cabinet juridique aussi enviable ? Elle doit être hyperintelligente, par-dessus le marché. Cette femme a tout raflé à la loterie génétique.

Je ne suis pas définie par mon corps... Je ne suis pas définie par mon corps...

— Sans aucun problème. J'habite à Brooklyn, je réponds d'un ton calme.

— Ah, c'est parfait, alors. Bon, que puis-je faire pour toi ? dit Stephanie en me fixant intensément.

Je me tétanise. C'est donc que Jonathan ne lui a pas raconté mon histoire. Maintenant, je regrette d'être venue. Ça me paraît tellement juvénile. Je sens une boule dans ma gorge et je pose la main sur mon cou.

— Ça va ? demande-t-elle, l'air inquiet.

— Euh, je crois, oui. J'ai la gorge irritée. Ce n'est rien. Ça ira.

— Attends, je vais demander à mon assistante de t'apporter de l'eau.

Stephanie court à la porte. Je me lève et regarde la vue époustouflante. Ça m'aidera peut-être à me calmer.

Je respire à fond et me dis d'être plus confiante : après tout, Jonathan est attaché à moi. Il m'a présenté sa fabuleuse amie pour m'aider et je devrais être reconnaissante, au lieu d'agir comme une enfant. Il faut que je suive les conseils de Cécile et que j'incarne le tact, l'élégance et la grâce. Ce n'est pas si facile.

En regardant fixement par la fenêtre, je croise les bras et j'essaie de m'imaginer atteindre ce genre de succès. J'ai entendu parler d'une technique de visualisation qui aide à matérialiser les plus profonds désirs. En fermant les yeux, j'essaie de graver dans mon esprit cette vue incroyable afin de l'attirer à moi. J'imagine Bonjour Girl employer une équipe de femmes brillantes et talentueuses dans un bureau semblable. Après quelques secondes, j'ouvre les yeux. Hélas, ce que je vois n'a rien d'invitant.

Sur un meuble, près de la fenêtre, est ouvert un grand agenda papier. Je n'en crois pas mes yeux. Sous la date de demain, en caractères gras et rouges, je lis les mots *Dîner avec Jonathan.*

Ma main se presse contre ma bouche. La pièce tourne. J'ai l'estomac serré et la bouche sèche. Des scènes de ma relation funeste avec Charles défilent dans mon esprit comme les voyants d'un flipper. Je vais m'évanouir. Je m'appuie sur le côté du meuble.

Quand Stephanie entre avec le verre d'eau, je le lui prends, l'avale d'un trait et lui tends le verre vide. Puis je fais ce que toute femme élégante, classe et raisonnable ferait dans ces circonstances.

Je sors de son bureau en courant pour appeler Jake.

— Qu'est-ce que tu as, princesse ? demande Jake en prenant l'appel.

Je ne sais pas comment il a deviné que quelque chose cloche, mais il l'a fait. Il doit avoir un sixième sens. Je suis sur le trottoir devant le bureau de Stephanie, et je tiens à peine debout. Il y a eu l'intimidation, et maintenant, ça.

— Ça va?

Silence. Larmes. Nœuds serrés au creux de mon ventre. Le marteau-piqueur de mon cœur dans ma poitrine.

— Clémentine? Es-tu là?

Silence. Je ne peux pas prononcer un seul mot. Je me sens perdue et gênée.

— ALLLLÔÔÔ? Parle-moi, ma belle!

Encore un silence, des larmes étouffées et une boule dans ma gorge.

Le dîner de rendez-vous inscrit à l'agenda de Stephanie m'a complètement désarçonnée. Est-ce que Jonathan sort avec elle aussi? Est-ce qu'ils couchent ensemble? Et surtout, je suis quoi, pour lui? Un jeu ridicule? Un joli passe-temps?

Tout le manque de confiance en moi, le déchirement causé par mon ex et les aventures extra-conjugales de mes parents, et tout le tort infligé à notre famille reviennent m'envahir. Les désaccords, les disputes, les prises de bec – tout ça m'a laissée balafrée et contusionnée. Et tout ce bagage remonte à la surface.

— Jake, euh… (snif)… est-ce qu'on peut… se voir? Il est arrivé quelque chose à propos de…

— Laisse-moi deviner. Ton joli garçon?

Il parle d'un ton égal. Entre les lignes, je sens le «je te l'avais dit», et ça me fait encore plus mal, car c'est vrai: il me l'avait bien dit.

— Mm-hmm.

— Qu'est-ce qui s'est passé ? Encore hier, vous aviez l'air tout seuls sur Terre.

— C'est une longue histoire. Je préfère te raconter en personne. Il y a une marge d'interprétation.

— D'interprétation ?

Je vois que j'ai piqué sa curiosité.

— Oui, la situation s'est embrouillée... et j'ai besoin de ton avis. Tu comprends ces choses-là.

Je sens son sourire au téléphone. Il est content de se sentir utile et mon compliment lui fait plaisir.

— J'étais en route vers un défilé. Tu viens avec moi ? demande-t-il. Je promets de te consoler.

J'ai tout à fait oublié que c'est la Semaine de la Mode à New York. Jonathan m'a dit qu'il serait occupé à prendre des photos de certains défilés. Maintenant, je sais que d'autres activités le gardent occupé, cette semaine.

Je les imagine, tirés à quatre épingles, en train d'assister aux événements de mode les plus recherchés de la semaine, et ça m'attriste. Je n'ai vraiment pas envie d'aller à la Semaine de la Mode.

— Ce n'est pas une bonne idée. Jonathan sera peut-être là – il est photographe de mode, tu sais ? Je ne veux pas le voir avant de t'avoir parlé.

— Oh, arrête. Il n'y sera pas. C'est un défilé de sous-vêtements de grandes tailles. Fais-moi confiance, ma chérie, ce n'est pas sa spécialité, répond Jake.

Je finis par sourire. Il sait me dérider. Et il y a une lueur d'espoir : je pourrais trouver du contenu intéressant pour mon blogue.

— D'accord, c'est où ?

— Aux studios Milk, à Chelsea. Je t'y rencontre dans une heure, chaton. Je te réserverai une place à la *frow*.

— La quoi ?

— Oh, désolé, chérie. Au pays de la mode, *frow* est une abréviation de *front row* : c'est la "première rangée", une syllabe en moins.

— Très bien. Compris. Merci.

— N'arrive pas en retard, tu ne veux pas rater ce spectacle sexy.

J'éteins mon téléphone en espérant que mon humeur ne sera pas rabat-joie pour la chic ambiance de la *frow*.

J'entre dans l'impressionnant loft blanc et mon état d'âme s'assombrit de nouveau. Les hautes colonnes blanches et les planchers de béton me rappellent Jonathan. J'essaie de repousser mes pensées négatives pour éviter de gâcher ce grand moment : mon premier défilé de mode à New York. Je veux tout apprécier.

Je texte à Jake et, à l'aide d'une relationniste stagiaire, je retrouve mon ami à sa place. Nous sommes assis dans la *frow*, grâce à l'amitié naissante de Jake avec un talentueux créateur de grandes tailles. Apparemment, cette collection célèbre les femmes dont les tailles dépassent la moyenne dans l'industrie de la mode. La beauté extérieure, celle qui marque le courant dominant, balaie les podiums ; il est temps de procéder à un changement massif. J'ai le cœur brisé, mais je suis ravie d'être ici.

Jake a mis le paquet, aujourd'hui : il porte un blouson d'aviateur en cuir luisant avec un jean noir, et a accessoirisé son look avec des lunettes rouges et un sac à pois. Le style est enjoué. Je voudrais seulement être ici dans des circonstances plus positives ; je rêve d'assister à ce genre d'événement depuis des années. Le cœur dans la gorge, me voilà prête à éclater en larmes – ce n'est pas le meilleur moment.

En regardant autour, je reconnais quelques visages familiers : des éditeurs et des blogueurs connus, et quelques célébrités. Je trouve ce genre de défilé rafraîchissant. Lorsqu'il est question d'autre chose que d'une taille échantillon, l'industrie de la mode a encore beaucoup de chemin à faire, et la présence de quelques blogueurs connus envoie un message d'espoir sur la valorisation du corps. J'ai l'intention de faire partie de la révolution. Lorsque j'aurai résolu mes problèmes personnels.

— Alors, quoi de neuf, ma chérie ? demande Jake dès que je prends place. Tu peux tout dire à ton oncle Jake.

— Alors, euh, tu te rappelles l'avocate que Jonathan voulait me faire rencontrer ?

— Ouais. Des problèmes, je suppose ? dit Jake d'un ton badin tout en feuilletant le programme du défilé.

Je vois qu'il est emballé par cette collection et je sais pourquoi : le créateur, un ancien du programme de maîtrise de Parsons, a remporté de nombreux prix prestigieux et il a reçu la même bourse que Jake pour l'innovation sociale.

— En effet, dis-je en gardant les yeux rivés sur mon téléphone.

Jonathan a tenté de m'appeler plusieurs fois, sans doute après avoir parlé à Stephanie. Je ne veux surtout pas lui parler.

— Je crois que Jonathan sort avec elle.

— QUOI ? s'écrie-t-il en tournant la tête vers moi. Tu blagues ou quoi ?

Pour une raison quelconque, sa réaction ne me paraît pas sincère. Saurait-il quelque chose que j'ignore ?

— J'ai trouvé une note dans l'agenda de Stephanie sur leurs intentions d'aller dîner demain soir. Jonathan n'a jamais rien mentionné. C'est tout simplement étrange. Et pénible. Pour vrai, elle a l'air d'un mannequin de Victoria's Secret.

— Ohhh.

Silence, encore des doutes, encore des crampes d'estomac, et encore un trouble intérieur. Mon mantra a perdu son pouvoir. J'ai cessé de le réciter.

— Écoute, c'est peut-être une ex-copine, peut-être qu'ils se contentent d'être amis ?

— J'en doute, dis-je en secouant la tête.

— Pourquoi est-ce qu'il voulait que tu la rencontres ? C'est vraiment étrange.

Encore une fois, sa réaction semble discrète. Habituellement, Jake fait tout un drame. Cette fois, ça me plairait bien.

— Je ne comprends pas non plus. Comment pourrait-il être aussi insensible ? Ça ne cadre pas avec sa personnalité. Il a été si prévenant envers moi. Je suis triste, Jake. Surtout après l'intimidation de la part de Stella. Est-ce que le monde entier s'est ligué contre moi ? Qu'est-ce que je dois faire ?

— Avant tout – il me frôle doucement la joue du bout des doigts – je suis là pour toi, ma biche. Alors, n'oublie jamais ça. Ensuite, tu devrais peut-être en parler à Jonathan avant de sauter aux conclusions. La bonne nouvelle, c'est que tu peux le faire maintenant, car il est là, debout, juste à côté.

En me tournant, je vois Jonathan, la mine défaite, sa chemise de lin fripée sortie de son jean. Il a les cheveux en bataille et le teint terreux. Des perles de sueur courent sur les côtés de son beau visage.

— Je t'ai cherchée partout, dit-il.

Jake se lève du banc, fait un signe de tête à Jonathan et lui indique de prendre sa place. Au lieu de râler à propos de mon copain et de prendre parti pour moi, Jake est de mèche avec lui. Merde, qu'est-ce qui se passe ?

Un moment, Jonathan et moi restons les yeux dans les yeux, et les miens se remplissent de larmes. Je veux tomber dans ses bras pour lui demander ce qui se passe, mais l'éclairage baisse, la musique commence et une voix dans un haut-parleur nous indique de prendre nos places. Le défilé va débuter.

— Clémentine, murmure-t-il. Il faut que je…

Au moment même où la musique commence, il se fait tirer d'un coup sec par une relationniste agressive. J'imagine qu'il bloquait la vue.

Je pourrais lui courir après, mais je ne sais pas où il est passé et je ne suis pas d'humeur à faire une scène. Je suis assise dans la *frow* au moment où l'éclairage baisse. Les mannequins se mettent à se pavaner en lingerie noire et suggestive sur la musique de *Fashion* de David Bowie, et montrent leurs corps sublimes, mais j'ai l'esprit ailleurs. Je veux savoir ce qui se passe entre Jonathan et Stephanie. Et pourquoi Jonathan a-t-il pris contact avec Jake, ou est-ce l'inverse – comment savait-il qu'il me trouverait ici ? Et où sont-ils passés ?

Je sors mon téléphone et j'essaie de texter discrètement à Jake. Je n'obtiens aucune réponse. J'essaie Jonathan. Aucune réponse non plus. Quelques secondes, et je sens un tapotement sur mon épaule : c'est la relationniste zélée qui, en termes non équivoques, m'ordonne d'éteindre mon téléphone. Comme elle me fixe d'un air menaçant, je le règle en mode vibreur et le fourre dans mon sac à main.

Même si le défilé est divertissant et que les vêtements sont à couper le souffle, rester assise ici plus de vingt minutes me paraît une éternité. C'est insoutenable.

Il doit y avoir une explication logique à tout ça. Je m'imagine de retour dans les bras de Jonathan, étendue sur son sofa, à écouter du jazz pendant qu'il joue délicatement avec mes cheveux.

Ma rêverie est interrompue par le bourdonnement de mon téléphone. C'est un appel de Jake. Je regarde autour pour m'assurer que la menaçante relationniste est loin, puis je réponds sous l'œil attentif de mon voisin, qui paraît s'inquiéter pour moi.

— Je vais sauter en bas d'un pont, merde. Viens me trouver tout de suite.

— Où es-tu ?

— À l'entrée principale. C'est urgent, ma chérie. L'avenir est en jeu. J'ai besoin de toi tout de suite.

Il raccroche. Dis donc, c'est sérieux !

Au moment même où je croyais ne pas pouvoir supporter un autre drame. Qu'est-ce qui se passe, merde ?

Je remets mon téléphone dans ma poche, je respire à fond et j'enjambe des genoux pour me rendre au bout du banc. Qu'est-ce qui a bien pu arriver à Jake depuis quinze minutes ?

La relationniste me prend le bras et montre les dents.

— Comment osez-vous vous lever de votre siège avant la finale ? murmure-t-elle d'une voix insistante et théâtrale. Et qui êtes-vous ? Vous n'aurez jamais de succès dans cette industrie, c'est moi qui vous le dis !

— Ha ! Madame, ça me convient parfaitement, parce qu'à ce stade-ci, je ne veux plus rien savoir ! je riposte avant de me dégager de sa poigne forte.

Je cours vers les ascenseurs, mais ils sont arrêtés à un autre étage. Comme il n'y a pas de temps à perdre, je m'élance jusqu'au bout de l'édifice et descends les escaliers.

Hors d'haleine, j'arrive dans le foyer, où je trouve Jake assis sur le plancher, l'air lamentable. Pour la première fois depuis qu'on se connaît, il paraît maussade. Il a enlevé ses lunettes de hipster. Il se frotte les yeux avec ses jointures. On dirait qu'il a pleuré.

— Qu'est-ce qui se passe ?

— Elle a disparu. Au complet.

— Quoi donc ?

— Ma collection.

— Qu'est-ce que tu veux dire ?

Je n'en crois pas mes oreilles.

— Quelqu'un l'a volée à l'atelier après mon départ pour venir ici. Je veux juste MOURIR, merde.

— Quoi ? Comment l'as-tu appris ? je lui demande, hors de moi.

Stupidement, je commence à me ronger les ongles – ce n'est jamais bon signe.

— Une de mes amies de l'atelier m'a texté juste après le début du défilé. Elle a cherché partout. J'avais laissé mes affaires sur des mannequins. Mais tout a disparu. TOUT ! *FINITO !* TERMINÉ !

— C'est affreux !

Je marche de long en large comme une folle. Je cherche à comprendre tout ça en essayant de me ressaisir.

— Qui ferait une telle chose ?

— Ils ont tout pris, Clémentine. Y compris le nécessaire de couture de ma mère et les bijoux de fantaisie que j'avais empruntés à un fournisseur.

Son visage tombe dans ses mains et il se met à brailler comme un veau.

Je me sens impuissante. Puis je me rappelle une chose que mon père dit souvent : « Quand tu arrives au bout de ta corde, fais un nœud et tiens bon. »

— J'appelle Maddie.

— Attends ! Arrête !

Jake pose ses verres sur le bout de son nez et se relève du plancher. Au moins, je l'ai amené à se lever et à bouger. C'est déjà ça.

— Je ne veux pas avoir de problème ! Ni perdre ma bourse !

— Quoi ? Pourquoi donc ? Maddie a du poids à Parsons. Il faut tirer ça au clair.

Il paraît apprécier que j'offre d'utiliser mes contacts, mais me fait signe de ranger mon téléphone.

— Avant de déclencher une alerte, je dois vérifier sur place à l'atelier. Pour constater moi-même les dommages.

On dirait un survivant d'un ouragan. J'imagine qu'une violente tempête vient de lui traverser le cœur.

J'ai le terrible sentiment que Stella a quelque chose à voir là-dedans. Dans ce cas, nous allons faire en sorte qu'elle reçoive son dû. Sa méchanceté doit s'arrêter.

Une chose est certaine : je n'ai pas besoin d'une avocate pour trouver. Avec Jake, j'ai à portée de main l'audace et le courage qu'il me faut pour comprendre ce gâchis. Comme dirait mon père : «Tiens bon, Clémentine, tiens bon…»

Chapitre trente-quatre

Je remets mon téléphone dans mon sac à main. Toute cette affaire est devenue ridicule et épuisante : tous les textos, les tweets et la vie dans l'univers numérique. Je sais que mes ambitions de carrière tournent autour d'un projet en ligne, mais en vérité, j'ai besoin d'une pause. La vie réelle implique une interaction et de vraies conversations avec de vraies personnes. Et même si cette pensée me terrifie, je suis sur le point d'avoir la conversation que j'aurais dû avoir il y a un siècle.

Je mets mon manteau et je sors prendre un taxi. Avec plus de détermination que ces derniers jours, je dis à Jake :

— Je vais résoudre cette question personnellement.

— Quoi ? Qu'est-ce que tu veux dire ? Es-tu folle ?

— Oui, je suis peut-être un peu cinglée, mais je vais découvrir qui a volé ta collection. Plus de mensonges, de cachotteries ni de trahisons.

Il paraît pris de court par ma soudaine assurance.

— Tu parles comme une vraie battante.

Il lève les sourcils d'un air interrogateur.

— D'accord, mon amie. Je vais suivre ton exemple. Faisons-le.

Nous partageons un taxi pour retourner à Parsons, en nous tenant par la main pendant tout le trajet. Jake ne dit pas un mot, ce qui m'inquiète un peu. Je prie pour que nous trouvions rapidement qui a pris sa collection; je connais toute l'importance de ce projet pour lui. Avant notre arrivée, Jake finit par avouer que Jonathan l'a appelé après ma fuite du bureau de Stephanie. Jake n'a pas voulu me dire que Jonathan venait au défilé, sachant que je ne me serais pas présentée. Je fais un signe de tête reconnaissant, mais je ne pose aucune question. Je ne peux m'occuper que d'une chose à la fois.

Une fois sur le campus, je suggère à Jake d'aller trouver sa copine d'atelier pour obtenir d'autres détails sur ce qu'elle a vu. Moi, par contre, j'ai pour mission de trouver Stella. La plupart des cours de l'après-midi commencent dans une demi-heure, ce qui me donne juste assez de temps pour localiser Sa Royale Perfidie, et découvrir si oui ou non elle est derrière ça. Dans un cas comme dans l'autre, il faut qu'on discute.

Je traverse la cafétéria du sous-sol, où je vois des étudiants plus âgés et des enseignants, mais aucune trace d'elle. Je file à travers la bibliothèque, les salons d'étude et les coins de lecture secrets – aucun signe d'elle là non plus. Où se trouve-t-elle?

Je me rappelle alors qu'elle aime regarder *Projet haute couture*, qui est parfois tourné sur le campus.

Je décide de me diriger vers le lieu habituel du tournage. Qu'est-ce que j'ai à perdre? Je marche d'un bon pas et m'approche de l'équipe, et voilà Stella dans toute sa gloire, en veste de vichy rose et blanc, jean bleu serré et talons imposants. Sa tignasse ébouriffée de cheveux noir jais éclate au sommet de sa tête. Ça convient parfaitement à son tempérament.

Debout au milieu de son entourage, elle bavarde. J'imagine qu'elle est en train de cancaner et de répandre encore d'infâmes rumeurs et des vibrations négatives. Je ne sais pas du tout comment elle peut bien avoir autant d'amis, vu sa méchanceté et sa malhonnêteté. Je pousse un soupir bruyant et exaspéré.

Du coin de l'œil, elle me voit m'approcher d'elle. De toute évidence, elle n'est pas contente de ma présence.

Je fonce sur elle comme un faucon. Elle me regarde fixement et je lui fais signe de s'approcher elle aussi. Je m'attends à ce qu'elle tire la langue ou qu'elle fasse autre chose de franchement puéril, et je suis étonnée de la voir venir, comme si elle n'avait jamais tweeté ces sornettes à propos de moi.

— Hé, dit-elle calmement en croisant les bras.

— Hé, toi aussi.

Je croise les bras pour l'imiter. Je vois qu'elle n'aime pas ça. Il y a un long silence gêné.

— Alors… tu as quelque chose à me dire ? demande Stella en levant le nez, nettement dérangée par ma présence stoïque.

Je goûte immensément ce moment et je la vois se tortiller sous mon regard fixe. D'ailleurs, en y prenant mon pied, je la regarde encore un peu. Je décide de ne pas faire référence au créateur coréen ; je crains que ça l'achève sur-le-champ.

— Eh bien, ce serait à moi de te poser la question, non ? dis-je enfin. C'est toi qui m'as éreintée sur Twitter. Qu'est-ce que j'ai fait pour mériter ça ?

Elle se pince les lèvres. Je vois que son esprit roule à toute vitesse. Sur quel genre de niaiserie, cependant, je n'en sais rien.

— Ah, allons, Clémentine… Ne charrie pas. Je connais ton jeu. Tu veux me faire passer pour la mauvaise fille, alors qu'en fait, c'est moi qui t'ai surprise en flagrant délit.

— Ah ? À faire quoi ? je riposte, les mains sur mes hanches.

Je ne peux pas croire qu'elle vomisse ces conneries délirantes.

— Tu crois avoir un concept si original et intellectuel pour ton blogue, mais en fait, il est loin d'être unique, ma fille. Ton concept est tellement banal, me lance Stella.

Comment ose-t-elle ? C'est elle qui manque d'originalité en copiant les concepts d'un autre étudiant ! Ça me fait rager. J'essaie de me calmer, mais ce n'est pas facile.

— De toute façon, tu t'es prise trop au sérieux, on dirait, et j'ai voulu te le faire remarquer, ajoute-t-elle avec irritation.

— Alors, tu t'es dit que tu m'enverrais un petit rappel, dis-je d'un ton sarcastique.

Sa fourberie est plus que honteuse.

Avant que je puisse dire quoi que ce soit d'autre, elle sort son téléphone.

— Tss-tss-tss. Et je sais ce que tu vas me dire à propos de moi et de mon entreprise. Mais tant pis pour toi, parce que j'ai ceci.

Elle fourre le téléphone devant mon visage.

Je n'en crois pas mes yeux. C'est une image de moi en train de parcourir les dossiers des étudiants. J'apparais penchée au-dessus d'une chemise en carton, en train de consulter des fichiers d'étudiants. Le fichier même qui montre que Stella est une fraudeuse. Je fixe son téléphone et je veux vomir. C'était sans doute elle qu'on entendait à l'extérieur de la salle, qui attendait de prendre la photo dès qu'Ellie m'a placée sous le bon angle. Maintenant, je veux lui arracher jusqu'à la dernière mèche de ses cheveux. Pas très femme élégante, je sais.

— Est-ce que c'est un comportement honnête ? Je ne crois pas, dit Stella d'une voix dédaigneuse tout en agitant le doigt dans ma direction.

C'est plus que dérangeant. Une fois de plus, Jonathan avait raison. C'était un sale coup monté et j'ai eu la naïveté de me laisser prendre.

Je suis folle de rage. Ellie m'a trahie et m'a prise pour une imbécile. Je suis tellement fâchée et muette que j'en oublie de parler de la collection de Jake.

Je décide de me replier. Au lieu d'envoyer promener le téléphone sur le plancher, je me rappelle le précieux livre de Cécile et je rends à Stella son appareil, avant tout pour protéger mon propre équilibre mental et mon respect de moi-même. Il n'y a tout simplement pas d'autre choix.

Puis je m'en vais. Comme ça. Parce que la femme élégante se soucie davantage d'entretenir son respect d'elle-même que d'avoir raison à tout prix.

Chapitre trente-cinq

Je suis sans voix, ahurie, en colère. Je veux pleurer, mais il ne monte aucune larme. Je me sens ridicule d'avoir mordu à l'hameçon d'Ellie, et triste du fait qu'elle m'a trahie. Je croyais avoir enfin vu la véritable Ellie. Je croyais sincèrement qu'elle était de mon côté.

Quelle erreur !

Ce qui m'inquiète le plus, c'est que mon intuition semble être à côté de la plaque.

Je décide de prendre les escaliers arrière, au cas où je me changerais en mare de larmes en descendant. J'ai déjà subi assez d'embarras comme ça ; il ne m'en faut pas davantage. Je dois rester forte pour survivre à cette épreuve. En me dirigeant vers le sous-sol, j'essaie de me remettre d'aplomb sur la rampe.

J'imagine que Jake et Maddie avaient raison : New York est sans pitié. Et je me sens abattue. J'espérais tellement sortir de Parsons avec mon diplôme et devenir une rédactrice de mode célèbre. Et je voyais Jonathan comme mon allié. Ensemble, nous aurions parcouru le monde, pris de fabuleuses photos de gens intéressants et d'endroits fascinants. Mon projet-passion allait se changer en entreprise lucrative, et me procurer la liberté créative dont j'ai tellement envie, et la capacité de voir le monde avec un regard neuf.

Malgré son succès initial, je doute que mon blogue mène quelque part, surtout si Stella poursuit sa campagne de haine et de mensonges. Je devrais peut-être abandonner, tout simplement.

Je ne vois même pas comment en parler à mon père. Je suis parvenue à le convaincre de me laisser poser ma candidature et de m'aider financièrement, et maintenant, je laisse tout tomber ? Il va me trouver épouvantable. Tout de même, je ne songe qu'à l'appeler pour qu'il me ramène à la maison.

Les effets du cyberharcèlement sont vraiment pénibles. Je me suis sentie seule, triste et honteuse. Mais maintenant, je suis certaine que Jake s'est fait entraîner dedans, lui aussi, et je ne peux pas m'imaginer pourquoi quiconque à l'école ferait quelque chose d'aussi haineux à une bonne âme. J'ai même peur de lui raconter ma mésaventure avec Stella. Il va me trouver faible.

En descendant chaque marche, j'ai l'impression que quelqu'un a déversé du ciment froid et dur dans mes chaussures. Je songe à un poème que mon père m'a montré, un de ses préférés d'Emily Dickinson :

L'espoir porte un costume de plumes
Et se perche dans l'âme
En chantant inlassablement une chanson sans paroles
Et la voix la plus douce – dans la tempête – s'entend
Et affreuse doit être la tempête
Qui pourrait déconcerter l'oiseau

Qui a réchauffé tant de monde
Je l'ai entendu au pays le plus froid
Et sur la plus étrange mer
Et pourtant, jamais, dans la détresse
Il ne m'a demandé une miette

Il faut que je m'accroche à ces paroles, à présent. J'ouvre la porte de l'escalier et je vois Jonathan assis à une table du coin, près de l'entrée de la cafétéria. Il paraît complètement affolé. Mon cœur s'enlise à le voir ainsi. Je m'approche lentement de lui et il se retourne vers moi. Il laisse tomber au plancher son grand sac photo, se presse contre moi et me soulève dans ses bras.

— Oh, Clémentine.

Il me caresse les cheveux, et des larmes coulent sur mes joues. Toute ma tristesse et ma colère se déversent à gros bouillons.

— Chhuut, s'il te plaît, ne pleure pas. Laisse-moi t'expliquer. Ce n'est pas ce que tu crois, je te le jure...

Et sur ces paroles de réconfort, je sens revenir une lueur d'espoir.

Chapitre trente-six

— Où courais-tu ? Je t'ai cherchée partout après le défilé, me dit Jonathan en me tenant la main.

Nous sommes à l'école, blottis à l'arrière de l'amphithéâtre. Nous nous y sommes glissés discrètement pour avoir un peu d'intimité, et je suis soulagée : enfin seuls. J'ai sans doute l'air pas du tout présentable avec mon visage taché de larmes et de mascara, mais Jonathan ne semble pas s'en soucier et, franchement, en ce moment, moi non plus. Il me caresse doucement le visage et écarte une mèche de cheveux.

— Où j'étais ? Qu'est-ce qui t'est arrivé, à toi, aux studios Milk ? je lui demande avant d'arriver à la vraie question qui me brûle les lèvres, et dont la réponse peut me briser le cœur.

Je vais me dérober le plus longtemps possible. Je ne veux plus souffrir.

— J'ai été jeté dehors, répond Jonathan en fixant ses chaussures.

Je ne l'ai jamais vu avec un air aussi abattu. J'imagine qu'on est tous les deux dans le même état d'esprit.

— Par cette méchante sorcière relationniste ? je demande.

Le visage en colère de cette chipie est encore gravé dans mon esprit.

— Ouais. Elle était vraiment affreuse, dit-il en passant nerveusement les doigts dans sa chevelure sexy et en désordre et qui me fait rêver. Comme je n'étais pas officiellement inscrit à l'événement en tant que photographe, on m'a mis à la porte. Je n'ai même pas pu récupérer mon sac photo au vestiaire. J'ai complètement paniqué. Tout mon gagne-pain est là-dedans.

— Comment l'as-tu retrouvé ? dis-je en désignant son sac noir sur le plancher.

— J'ai dû supplier la mégère. Un vrai cauchemar, mais j'y suis enfin arrivé. Ensuite, je suis retourné à l'intérieur pour te chercher, mais tu étais partie.

Il enlève son blouson en denim, et il a des traces de transpiration sur les côtés de sa chemise. Je vois qu'il a eu une dure journée.

— De toute façon, ce n'est qu'un appareil photo et quelques objectifs – ce n'est pas la fin du monde. Ce qui compte, maintenant, c'est de te dire à quel point tu es importante pour moi, Clémentine. Je me sens tellement dégueu. J'étais fou d'inquiétude de te perdre.

Mes cordes sensibles sont étirées dans un million de directions. Est-ce qu'il est sincère ? Ou bien est-ce qu'il dit ça pour me rassurer ? Avant que je puisse poser des questions, il se rapproche, me regarde et m'embrasse doucement sur les lèvres. Mon cœur bascule et se cogne très fort contre ma poitrine. Au lieu de le repousser et d'exiger des réponses, je garde un moment de plus ses lèvres douces et pulpeuses sur les miennes.

—Je sais ce que tu as vu au bureau de Stephanie, dit-il enfin en se détachant de moi, tout en soutenant mon regard.

J'essaie de détourner les yeux, mais il continue de tenir doucement mon visage.

—À vrai dire, Stephanie m'a aidé à résoudre moi-même des problèmes juridiques.

Ça m'étonne complètement.

—Oh ? Quel genre de problèmes ?

Avec un profond soupir, il passe nerveusement les doigts dans sa chevelure.

—Des problèmes dont j'ai honte de te parler.

Il laisse tomber son visage entre ses mains.

—Au cours d'une séance de photos à Paris, il y a plusieurs mois, j'ai rencontré ce mannequin nommé Julia. On a passé une semaine à travailler ensemble, et elle s'en est prise à moi. Elle est devenue agressive et a demandé un montant trop élevé pour mes moyens. Quand j'ai refusé d'augmenter son tarif, elle est devenue désagréable envers tous ceux qui travaillaient à la séance et a empoisonné l'ambiance de travail. C'est devenu si insupportable que j'ai dû mettre fin à son contrat.

C'est le contraire des avertissements de Jake. Jonathan n'est pas un coureur de mannequins, il est tout simplement harcelé par l'une d'elles. Je vois, c'est vraiment pénible. Je lui masse doucement les épaules. Nous semblons affronter tous les deux des problèmes semblables.

—Stephanie et moi, nous avons en commun quelques clients dans l'industrie de la mode, et elle m'a offert de me représenter bénévolement. Elle me rend service. Il ne se passe rien entre nous, je le jure. On se rencontre parfois pour faire des vérifications, c'est tout, dit-il.

— Pourquoi est-ce que tu ne me l'as pas dit? Ce n'est pas ta faute.

— Je craignais que tu sois fâchée contre moi. Qui veut entendre dire que son copain est poursuivi par une mannequin folle pour rupture de contrat? Et si ta famille l'apprenait? Ta mère est une célèbre chanteuse d'opéra à Paris, et ta famille a des liens dans l'industrie de la mode. Le mot circule – c'est déjà le cas dans certains milieux.

Il a les yeux pleins de larmes.

Je pousse un long soupir de soulagement et tout mon corps se détend, comme si j'avais enlevé une paire de chaussures inconfortables. Il ne sort pas avec elle. Il se dit même mon copain. On va s'en remettre; tout ira bien.

Je reste silencieuse un moment de plus alors que des pensées tourbillonnent dans ma tête. Nous sommes tous deux victimes d'intimidation et de manipulation. Je me laisse tomber dans ses bras et des larmes coulent sur ses joues. Je suis sincèrement touchée par sa démonstration d'émotion.

En pleurs moi aussi, je décide qu'il est temps pour moi d'avouer mon propre secret obscur. Comme Jonathan est honnête et vulnérable, il faut que je le sois aussi. Je respire à fond et romps le silence à propos de ce qui me tourmente depuis des mois.

— Je suis désolée d'avoir sauté si rapidement aux conclusions. Je n'aurais pas dû présumer quoi que ce soit. Je me suis sentie très anxieuse et chagrinée, l'année dernière.

J'ai subi une trahison importante qui m'a profondément marquée.

— Vraiment ? Qu'est-ce qui s'est passé ?

Je sens une boule géante se former dans ma gorge. Ce que je suis sur le point de révéler est si pénible que ma bouche devient sèche et je me mets à trembler, tout comme je l'ai fait plus tôt en les voyant ensemble. C'est le genre de souvenir traumatique qui se fige dans tes cellules et déclenche la même réaction pénible chaque fois que tu y penses. J'ai essayé d'en parler à un thérapeute, mais ça n'a pas beaucoup aidé. Partir pour New York était ma meilleure option pour échapper à la douleur et au traumatisme.

— Peu importe ce que c'est, tu peux me le dire, dit Jonathan en caressant mes cheveux et en serrant ma main.

J'essaie à nouveau de détourner les yeux, mais il pose délicatement ses doigts sur mon menton et m'oblige à le regarder pendant que je lui raconte tout.

— C'est plutôt affreux. J'ai surpris, chez nous, mon ex-copain en train d'embrasser ma mère. Ou c'était peut-être l'inverse. De toute façon, j'étais encore avec lui à l'époque. Ça m'a fait vachement mal. Je n'ai pas pu m'en remettre ni pardonner à l'un ou à l'autre.

— Je comprends. Je suis tellement désolé, Clémentine.

Il me serre dans ses bras alors que je continue de pleurer. Ça me fait du bien de tout laisser sortir.

— Il a embrassé ta mère ? Quel salaud, dit-il.

— Mm-hmm. Mais ça se joue à deux. Ma mère a tendance à provoquer ce genre de drame, c'est bien connu. Il n'est pas le seul à blâmer pour ce gâchis.

— En avez-vous discuté, ta mère et toi ?

— On a essayé. Elle a dit que c'était un flirt innocent, juste "un écart de jugement momentané".

Je mime des guillemets. J'ai profondément mal, juste à y repenser.

— C'est tout un personnage, on dirait.

— C'est vrai. Heureusement, mon père est plus terre à terre et plus mûr. Il a réussi à préserver la famille. Sauf pour une aventure avec son employée, il y a quelques années.

— Wow, ta famille a traversé des périodes difficiles. Est-ce qu'il est au courant, à propos de ta mère et de ton ex ?

— Non. Je n'ai pas été capable de lui en parler. Juste d'y penser, ça me brise le cœur. J'ai rompu avec Charles et j'ai essayé de passer à autre chose. Ce n'est pas facile.

Au lieu de poser d'autres questions, Jonathan se rapproche et me serre plus fort dans ses bras. Son étreinte est réconfortante et m'apaise. Nous restons ainsi, nichés dans les bras l'un de l'autre, jusqu'à ce que mon téléphone tinte. Je ne le regarde pas. Je sais déjà à quoi m'attendre : encore des bêtises.

Je finis par me lever, je prends le bras de Jonathan, et nous quittons l'auditorium en nous tenant par la main. Il est temps de montrer au monde de quel bois on se chauffe. Plus question d'avoir peur, de nous laisser facilement manipuler, ni d'être faibles.

Chapitre trente-sept

Je rencontre Jake au centre de la ville, chez Sigmund's Pretzels, avenue B, l'un de ses lieux de prédilection à New York, renommé pour ses impressionnants bretzels confectionnés à la main à partir de farine bio. Selon Jake, les meilleurs sont à la cannelle, aux truffes et au cheddar. Personnellement, je préfère les baguettes et les pâtisseries françaises, mais je suis prête à essayer les bretzels.

Je vois que Jake a un immense chagrin : il a trois bretzels géants devant lui, avec une cruche de quatre litres de thé glacé.

Il remarque mon air soucieux.

— Les bretzels churros à la confiture de framboise, c'est ma nouvelle thérapie.

Avec un demi-sourire, je m'assois à côté de lui pour lui donner de petites tapes dans le dos. Je le comprends, vraiment. Je connais bien. Dans mon cas, ça veut dire toute une boîte de macarons ou une Toblerone géante. Nos vices entrent en jeu aux pires moments.

Je meurs d'envie de dire à Jake que Jonathan et moi, on s'est réconciliés, et que son dîner avec Stephanie était strictement professionnel, afin de résoudre un problème juridique, mais ce n'est pas le moment. Jake veut parler et je suis venue l'écouter.

— T'es-tu confié au personnel enseignant de Parsons ?

— Nan. Pas encore. J'espérais régler ça tout seul. J'ai fouillé tous les coins du campus, Clem. Je te jure. Je n'ai rien dit parce que je ne veux pas perdre ma bourse. Et si Parsons me demandait de la remettre ? Je n'en ai vraiment pas les moyens… J'ai tout dépensé pour des tissus et des accessoires, et pour mon nouveau site Web.

— Pourquoi ils feraient ça ? Franchement, je doute que l'école te tienne responsable. Ce n'est pas ta faute s'il y a des voleurs sur le campus.

— Bon, d'accord.

Il arrache un morceau de bretzel et le met dans sa bouche. Je ne suis visiblement pas parvenue à calmer son anxiété.

— Mais l'école pourrait juger que j'ai été négligent en laissant mes affaires sans surveillance.

— Sans surveillance ? Est-ce que tu ne gardes pas toutes tes affaires sous clé ?

— Non, pas cette fois. J'étais en retard pour le défilé et j'ai laissé mon travail sur des mannequins. J'imagine que quelqu'un est tombé par hasard sur la porte déverrouillée et a tout pris. Je m'en veux tellement d'avoir fait ça. Tu n'as pas idée.

— Et ta camarade d'atelier ? Est-ce qu'elle aurait pu ? Lui fais-tu confiance ?

— Oui. Elle a beaucoup plus de talent que moi. Elle ne prendrait jamais mes affaires. Je regrette seulement d'avoir parlé de mon concept. L'idée m'emballait tellement que j'en ai parlé dans mon cours de création. J'aurais dû fermer ma grande gueule.

En l'écoutant raconter sa fâcheuse situation, il me vient à l'esprit que c'est aussi ce que le harcèlement te fait : il te fait croire que tu es en défaut quand, en fait, tu n'es que la victime. C'est blessant, nuisible et mauvais pour la confiance en soi et la santé mentale. C'est pourri.

— J'ai fait des progrès dans notre enquête. Encore rien de substantiel, mais je pense être sur la bonne piste, dis-je.

Jake laisse tomber son casse-croûte sur le comptoir et s'essuie les doigts avec sa serviette en papier.

— Vraiment ? Et qui va se faire botter les fesses ?

— Elle ne l'a pas avoué carrément, mais mon intuition me dit que Stella est derrière ça.

— Pfff, mêmes conneries que d'habitude. Alors, ça, c'est une sacrée surprise !

Ses joues potelées prennent une teinte bordeaux foncé et je l'imagine dégager de la vapeur par les narines comme un taureau prêt à foncer.

— As-tu des indices ?

— Mon petit doigt me dit qu'elle ne l'a pas fait elle-même. Elle est bien trop mauviette. Elle a sans doute confié la tâche.

— D'accord. Qu'est-ce qui te fait croire ça, Agatha Christie ?

— Elle essaie de me faire chanter.

— QUOOIII ?

— Elle a une photo de moi en train de fouiller dans les archives de l'école. C'était un stratagème, Jake : Ellie n'essayait pas de m'aider. Elle est du côté de Stella.

Comment ai-je pu me laisser entraîner dans ce jeu débile?

— C'est complètement pété! Tu te moques de moi, non?

— J'aimerais bien.

Je prends un morceau de bretzel et le trempe dans la confiture. La saveur explose dans ma bouche. Ça va un peu mieux.

— Stella a un immense entourage de filles malveillantes qui font ses quatre volontés. Elles feraient n'importe quoi pour elle. C'est une garce impitoyable et manipulatrice. Alors, si elle est capable de rallier Ellie à sa cause, elle peut bien voler ta collection.

— Puisque tu le dis, chérie. Ellie, par contre? C'est franchement déprimant.

— Ouais, ne m'en parle pas. Je lui en veux de m'avoir manipulée. J'étais tellement idiote, dis-je en prenant une autre bouchée de bretzel.

Ces saveurs me plaisent de plus en plus.

— Alors, qu'est-ce qu'on fait, d'après toi? demande Jake.

— On pourrait remettre à Ellie la monnaie de sa pièce, dis-je.

Pour une fois, je suis prête à renverser les rôles.

— OUAIS!

Il soulève les deux sourcils d'un air de conspirateur, et nos deux poings se touchent.

— As-tu des idées?

— Et si on l'attirait avec l'appât le plus fort du monde?

— Qui est...? dit-il en dressant un sourcil.

— Cécile et Madame Grès.

— D'accord. Dis-moi ce qu'il faut faire et j'y serai, annonce-t-il en se levant de sa chaise.

— Où vas-tu ? Je ne t'ai pas encore parlé de mon idée…

— Je vais te commander un bretzel. Avant que tu finisses le mien, lance-t-il avec un clin d'œil.

Il revient avec un bretzel à saveur de cheddar et j'en prends une photo pour ma page Instagram.

— Tiens, tu es revenue sur les réseaux sociaux.

— Il en est temps, tu ne penses pas ? je réponds en faisant référence à mon silence prolongé sur Twitter.

Même si j'ai partagé des articles de Bonjour Girl en ligne, je n'ai pas répondu aux commentaires blessants de Stella. Je dois paraître encore plus faible.

— Eh bien, tu sais ce qu'on dit, ma prunelle. Le silence est d'or, mais le Duct Tape[1] est argent. Tu ferais mieux de te scotcher les lèvres. Je ne l'ai pas fait, et vois où ça m'a mené. Nulle part.

Il prend une bouchée de son bretzel, murmure quelque chose à propos de la revanche, et sourit, ce que je ne l'ai pas vu souvent faire, ces derniers jours. Si je peux lui être utile, Jake va retrouver son entrain et sa collection. Pourvu que j'aie du courage et des solutions.

---

1. Ruban d'étanchéité adhésif. (Ndt)

Chapitre trente-huit

Je suis assise à la bibliothèque de l'école Parsons, en face de Jake. Nous sommes entourés de milliers de livres sur le design, l'art et la mode. C'est le paradis, vraiment. J'y ai traîné Jake de force après le cours pour faire un suivi de notre rencontre à la pâtisserie.

Pourquoi ? Hier soir, alors que je cherchais un livre pour un projet scolaire dans la volumineuse bibliothèque de Maddie, je suis tombée sur une citation de Victor Hugo : *La lumière est dans le livre. Ouvrez le livre tout grand. Laissez-le rayonner, laissez-le faire.* Ça a déclenché une idée géniale : on pourrait utiliser des bouquins pour trouver des idées créatives et répliquer à Ellie et Stella. Puisque celui de Cécile m'a déjà été si utile, je me demande si certaines des réponses qui nous échappent se trouveraient dans des ouvrages sur la mode. Et puis, c'est agréable à regarder, non ?

Quand je lui ai parlé de mon plan, Jake s'est dit d'avis qu'on peut trouver les réponses à tous les problèmes de la vie dans l'histoire de la mode. Il croit qu'on découvrira des idées utiles dans les archives de Grès. J'ai aussi le livre d'étiquette de Cécile dans mon sac. Armée des deux, j'ai confiance : on y arrivera.

Toute cette épreuve a alourdi mon esprit d'un immense fardeau, et j'ai si hâte d'en finir pour pouvoir m'occuper de mes études, de ma relation et de mon blogue. Heureusement, Jake a apporté une réserve secrète de *gummy bears*; il dit que ça va nous remonter le moral et nous aider à nous concentrer. Je suis tout à fait d'accord.

Après avoir demandé de l'aide à une charmante bibliothécaire, Jake trouve deux exemplaires de *Madame Grès: Sphinx of Fashion*. La bibliothécaire voulait savoir pourquoi on en avait besoin, car ce livre semble avoir été souvent emprunté, dernièrement. Qui aurait cru qu'il y aurait tout ce renouveau d'intérêt envers cette créatrice classique?

Jake apporte les livres à notre table et me demande de parcourir les cinq premiers chapitres. Il va se concentrer sur les cinq suivants.

—J'espère qu'on trouvera quelque chose... soupire-t-il en rangeant un crayon derrière son oreille et en enfournant un ourson bleu. Ma patience est à bout.

— Ces livres vont nous aider à régler le cas de Stella et d'Ellie, je le sais tout simplement, dis-je en essayant de paraître optimiste.

— Vraiment? Je pense qu'on marche sur des œufs. On ne peut pas vraiment prouver que Stella a volé mes affaires, murmure-t-il. On devrait peut-être abandonner et laisser l'école s'en occuper, tout simplement.

— Oh, arrête. On sait tous les deux qu'elle est derrière tout ça. Mais pourquoi et comment – c'est ce que je veux trouver. Concentre-toi sur le livre, c'est tout. Cherche quelque chose qui sort de l'ordinaire. Quelque chose qui peut nous mener au mobile, lui dis-je sur le ton d'un détective privé.

En vérité, j'ai mes propres doutes sur ce plan. Mais comme je suis mes instincts, on devrait tout simplement l'adopter.

— D'accord, ma belle. Puisque tu le dis. Je m'en occupe.

Il s'envoie un ourson dans la bouche et ouvre le grand livre cartonné. Je fais de même.

En parcourant quelques pages, j'apprends que les historiens de la mode considéraient Madame Grès comme l'un des « plus importants couturiers d'après-guerre ». Quand je pense que mon arrière-grand-mère était sa muse ! Wow. Il valait la peine de lire ce livre uniquement pour m'en rendre compte.

La créatrice ne semblait pas aimer son nom de baptême, Germaine Krebs, qu'elle a remplacé par Barton, le nom de famille de l'un de ses premiers employeurs. C'est beaucoup plus tard qu'elle a adopté le nom de Grès.

Je continue de tourner les pages. Elles révèlent que Madame Grès était une véritable moderniste : indépendante et avant-gardiste, elle s'est formé une identité enveloppée dans le mystère.

Ça me fait penser à Ellie – elle aussi, elle a un faible pour le mystère et les intentions cachées. Mais je ne peux pas croire qu'elle soit parvenue à me berner. Qu'est-ce qu'elle a contre moi ? Ça n'a aucun sens. Je me rappelle son expression quand on s'est trouvées face à face dans la salle des archives. J'ai cru percevoir de la gentillesse et de la compassion. Mais j'étais tellement à côté de la plaque ! Quelle blague, et quel dommage.

En continuant de lire, je vois que, comme les jeunes entrepreneurs actuels, Grès a très tôt exprimé le désir de s'établir à son compte. Mais tandis que Coco Chanel était très connue et son visage familier, Grès est restée invisible aux yeux du public. Elle voulait rester énigmatique pour faire ce qui lui plaisait.

Alors que Jake prend furieusement des notes pour ses entourloupettes dans la haute couture, il me vient à l'esprit que même si les cours viennent de commencer, presque tous les étudiants que je connais ont fait connaître leur projet chouchou. Tout le monde, sauf Ellie.

Cela explique-t-il son comportement ? Cherche-t-elle un projet bien à elle ? M'a-t-elle suivie pour copier mes idées ? Et serait-ce pour elle un mobile pour voler le travail de Jake ?

— Je crois qu'on est sur une piste, je murmure.

Les paroles jaillissent toutes seules de ma bouche.

Jake sort la tête de son livre.

— Vraiment ? Si tôt ? Qu'est-ce que t'as trouvé, chérie ?

Il pose son livre et son crayon, impatient de partager des impressions.

— Dis-moi tout.

— Eh bien, euh, rien. C'est un indice.

— Pardon ? Tu te fous de ma gueule ?

— C'est à propos d'Ellie. C'est l'une des rares étudiantes de notre groupe à ne pas avoir déclaré de projet majeur, non ? Mon intuition me dit que c'est parce qu'elle n'en a pas. Aucune collection, aucun concept créatif. Alors, elle pompe les idées des autres. Elle est peut-être en train de nous faire un autre numéro à la Stella.

— D'accord... dit Jake en faisant tournoyer un crayon entre ses doigts. Alors, qu'est-ce que ça explique, au juste ? Qu'elle a agi de mèche avec Stella pour voler mon travail ?

— Je ne suis pas sûre, mais c'est une possibilité. Peut-être qu'Ellie et Stella sont toutes les deux des copieuses et qu'elles se servent de nous pour avancer ? Ellie me suit partout pour voler mes idées et Stella demande à Ellie de dissimuler son propre copiage. Elle sait qu'on la soup-çonne, non ? Et les deux ont peut-être volé tes affaires pour nous intimider.

Jake me regarde fixement, comme si je venais de tirer un lapin d'un chapeau. Ou que je perdais complètement la boule. Je ne sais pas trop lequel des deux.

Je prends un ourson. Le sac est presque vide. J'en ai le souffle coupé. Jake ricane.

— Stupéfiant, Clem. Je pense que tout ça se tient. Ça avance rapidement. Et maintenant ?

— C'est juste une théorie, je murmure.

Je balaie des yeux la salle pour m'assurer que personne ne nous écoute.

— Tu es plutôt brillante, tu sais ? dit-il avec un clin d'œil. Je suis vraiment content de t'avoir dans mon équipe.

— Merci. J'aime me sentir futée.

— Tu l'es, c'est sûr. New York opère sa magie sur toi, Clem. Mais réponds-moi : pourquoi Stella ou Ellie auraient-elles volé ma collection ? Ce serait une décision stupide de leur part, non ? Tout le monde sait qu'elle est à moi, même le personnel enseignant de Parsons.

— À moins qu'elles aient décidé de la jeter pour se débarrasser de la concurrence...

Je regrette aussitôt d'avoir formulé cette hypothèse. Le visage de Jake se décompose et des larmes lui montent aux yeux comme si je venais de lui annoncer que son frère s'est fait jeter dans la rivière Hudson. J'aurais dû me la fermer avec du Duct Tape. Quelle erreur.

Il se lève, met rapidement son blouson en denim et se dirige vers la sortie.

— Ah, ouais ? Je ne vais pas rester assis et LAISSER FAIRE CES CONNERIES. Il faut agir tout de suite ! crie Jake.

Puis il sort de la bibliothèque en faisant se retourner toutes les têtes.

La bibliothécaire m'envoie un regard interrogateur et je lui fais un petit signe de la main pour éviter d'attirer plus d'attention. Je prends mon trench et je le suis jusqu'à la porte, sous le regard perplexe de dizaines d'étudiants.

Je me fiche bien des regards gênants. Je m'y suis habituée. J'espère seulement qu'il n'est pas trop tard.

Chapitre trente-neuf

Quand d'anciens étudiants ont dit que Parsons était un milieu concurrentiel, je n'aurais jamais cru que c'était à ce point-là. J'ai lu des articles de blogues écrits par des anciens qui se plaignaient de leurs difficultés, et j'ai même visionné leurs diatribes sur YouTube. Mais jamais, dans mes pires cauchemars, je n'aurais imaginé subir tant de haine. C'est pénible et je me sens tellement vulnérable. Je souhaite seulement que ce cauchemar finisse.

Telles sont les pensées qui me traversent l'esprit alors que Jake et moi attendons Ellie dans la Cinquième Avenue. Il tient un gobelet de café d'une main et mâchouille un bâtonnet à remuer. Mon cœur bat la chamade à la pensée d'affronter Ellie. Je me sens trahie et déçue. J'espère qu'elle n'essaiera pas de faire comme si de rien n'était tout en niant son rôle dans cet affreux gâchis. Ce serait insultant et, franchement, je n'en peux plus. Mais c'est apparemment ce que font les intimidateurs : un jour, ce sont tes amis, le lendemain, ils deviennent tes ennemis, et vice-versa. Le cycle est sans fin. Mais je suis sur le point d'y mettre fin.

Le dernier cours d'Ellie se termine à dix-sept heures, et il est maintenant moins dix.

Jake prend une longue gorgée de café et jette son gobelet à la poubelle. Les bras croisés, il est appuyé contre le mur à côté de moi. Je sais qu'il en a plus que ras le bol. Il a travaillé comme un fou sur son incroyable collection et consacré une grande partie de sa bourse à l'achat de tissus, de matériaux, d'accessoires de qualité, et à l'embauche de quelqu'un pour créer un site Web. Il a tout investi dans la réalisation de son rêve. Maintenant, tous ces efforts risquent de n'aboutir à rien. Il paraît hagard, et même les pierres du Rhin de son blouson en denim n'ont pas leur éclat habituel.

Je range mon téléphone et je vois Ellie qui marche vers nous. Elle porte son habituelle tenue sombre : jean noir, t-shirt, blouson argenté, boucles d'oreilles assorties et grosses bottes militaires. Elle semble perdue dans ses pensées. Jake fixe ses yeux sur elle comme un faucon. Elle doit sentir son regard, car elle lève les yeux et s'arrête net en nous voyant.

— Eh, Ellie, t'as un moment ? demande Jake d'un ton ferme.

— Euh, bien sûr. Qu'est-ce qu'il y a ? répond-elle d'une voix mal assurée.

Jake roule des yeux et soupire.

— Oh, s'il te plaît, arrête tes niaiseries.

De son index, il pointe son blouson métallique.

— Je sais que tu sais de quoi je parle.

Il s'approche à quelques pouces de son visage. Elle ne bouge pas, mais je sens qu'elle est intimidée. Je vois trembler sa main droite, celle qui tient son sac. Un signe de culpabilité ? On verra.

— D'accord.

L'air penaud, elle regarde ses bottes de motard.

— On ne devrait pas parler ici. On peut aller dans un endroit tranquille?

— Eh bien, dit Jake en regardant autour avant de répondre, sûrement pas dans un spa. À quoi penses-tu? Au petit resto d'en face?

— Non! C'est bien trop proche de l'école.

Jake et moi échangeons des regards. Le seul endroit tranquille que nous connaissons dans le coin, c'est l'hôtel Walker.

— D'accord, suis-moi. Je connais un endroit, dis-je en désignant la Treizième Rue.

Nous marchons en silence tandis que Jake suit derrière, la tête basse. J'espère seulement que cette conversation nous mènera quelque part. Le moral de mon ami en dépend. Le mien aussi.

Nous entrons dans le foyer de l'hôtel, mais cette fois, je ne fais pas attention au décor chic; j'ai d'autres préoccupations. Nous prenons un siège et Jake commande des cafés.

— Je sais ce que vous pensez, dit Ellie d'un ton calme. Que je suis une menteuse et une traîtresse. Mais je ne t'ai pas dénoncée, Clémentine. Pas de mon plein gré, du moins.

Elle tripote sa serviette de papier.

— Quoi? Qu'est-ce que tu veux dire, "pas de mon plein gré"?

J'enregistre secrètement cette conversation avec mon iPhone. Qui a besoin d'une Stephanie quand tu as regardé des tonnes d'épisodes de *Scandal* sur ton ordinateur portatif?

— Stella est sur mon dos depuis le premier jour, avoue Ellie. Ça a été une spirale infernale de sales histoires.

Elle laisse tomber sa tête entre ses mains.

Jake fait un signe de tête silencieux tout en sirotant son second café de l'après-midi. Il n'en a sûrement pas besoin; il est parti en toupie. J'espère seulement qu'il ne s'emballe pas trop. Quand ça arrive, il a tendance à perdre les pédales. Ça pourrait devenir vraiment laid.

— Quand tu m'as parlé de ton arrière-grand-mère et de Madame Grès, ça m'a donné une idée de projet scolaire. J'ai songé à créer ma propre version de ces robes colonnes *glamour*. J'en suis folle depuis mon enfance. J'ai grandi en regardant de vieux films avec Grace Kelly et Jean Shrimpton. Je suis vraiment fan de rétro.

C'est quand même étonnant. Le look classique Grès est si différent du style personnel d'Ellie que je n'aurais jamais deviné qu'elle l'aimait. Cette école est pleine de surprises et de personnages étranges.

— Alors, j'ai eu l'idée – j'avoue qu'elle était pourrie – de regarder dans les archives des étudiants pour voir si quelqu'un d'autre avait fait une réinterprétation moderne de ces robes classiques. Bref, Stella et moi, on s'est trouvées face à face dans la salle des archives des étudiants.

— Non! Tu l'as surprise là? C'est délirant, entonne Jake.

Je vois que son cappuccino commence à agir.

Je ne suis pas étonnée. Stella fait ce qu'elle veut, en toute impunité. Jusqu'ici, en tout cas.

— Qu'est-ce que Stella faisait là ? je demande en élevant légèrement la voix pour que le minuscule micro de mon téléphone puisse la capter.

Avant de répondre, Ellie regarde autour dans la pièce.

— Elle essayait de détruire les dossiers du créateur coréen dont elle a copié la collection d'autocollants. Je suis parvenue à la photographier, mais elle m'a obligée à me la fermer en menaçant de dire au doyen que j'étais là aussi. Et je me sens tellement minable d'avoir fait ça. Quand je t'ai emmenée aux archives des étudiants pour te montrer le dossier vide, je ne savais absolument pas que Stella nous suivait. Maintenant, elle a des preuves qu'on était là toutes les deux.

— Alors, qu'est-ce qu'elle veut de moi, *my god* ? Pourquoi est-ce qu'elle me déteste autant ? je demande, hors de moi.

Je sens bouillir ma colère, mais j'essaie de me calmer au cas où j'aurais besoin de faire écouter cette conversation enregistrée.

— Tu l'insécurises… toi et ton blogue. Tu as peut-être dit ou fait quelque chose qui l'a fait se sentir menacée.

— Vraiment ? Je me demande bien quoi. Elle est complètement nulle. C'est tout ce que je peux dire.

— D'accord, mesdames, et moi ? Qu'est-ce qui est arrivé à ma collection ? demande Jake d'un ton impatient.

Ellie détourne les yeux avant de répondre. Je vois que c'est pénible pour elle. Elle a peur de répondre parce qu'elle est victime d'intimidation, elle aussi.

— Allez, Ellie, IL FAUT que je sache ! Est-ce que c'est elle ? Est-ce qu'elle a volé mes affaires, merde ? rugit-il, le visage rouge et agité.

Elle fixe ses chaussures et fait un signe de la tête.

— Oui, je l'ai même entendue s'en vanter et en rire. Mais je ne sais pas ce qu'elle en a fait. Je n'ai rien à voir avec ça, je le jure.

— Ha! Et pourquoi je te croirais? répond Jake en renversant presque nos tasses de café.

J'espère qu'Ellie nous donnera l'information qu'il nous faut; j'ai bien peur que Jake s'effondre.

— Je sais que vous n'avez aucune raison de me croire. J'ai été complètement minable envers vous deux. Je ne mérite pas votre confiance, mais si vous me le permettez, je vais vous montrer que je ne vous mens pas. Et que je n'ai pas été impliquée dans le vol de ta collection, Jake, je te jure. Je sais à quel point tu as travaillé à créer ton portfolio personnel.

— Oh, vraiment? C'est un peu fort, de la part de quelqu'un qui n'a même pas encore commencé le sien, réplique Jake.

Ellie soulève nerveusement sa tasse.

— Ce n'est pas tout à fait vrai. Si vous voulez me suivre, j'aimerais vous montrer quelque chose… dit-elle en hésitant.

Jake me regarde une seconde comme s'il cherchait mon approbation. Je fais un signe de la tête et il demande l'addition au serveur. Ellie met un billet de vingt dollars sur la table.

— Où on va? je demande, perplexe et un brin exaspérée.

— Dans un lieu secret créé en l'honneur de ton arrière-grand-mère.

— Vraiment! dit Jake, l'air aussi abasourdi que moi.

Ça devient de plus en plus intrigant à chaque instant. J'arrête la fonction d'enregistrement de mon téléphone et je me lève, car j'ai retrouvé mon énergie. C'est peut-être une gaffe, mais je décide de suivre Ellie. Une fois de plus. Cette fois-ci, mieux vaut que ce soit la bonne.

On entre dans un immeuble sans ascenseur de la Douzième Rue près de l'avenue A et j'ai des frissons, comme quand on fouillait les registres de l'école. Un million de questions me traversent l'esprit : où sommes-nous, qu'est-ce qu'on trouvera, sommes-nous en sécurité et, surtout, qu'est-ce qu'on fait là, merde ?

Jake regarde Ellie qui déverrouille. Il ne la quitte pas des yeux et il ne la laissera pas s'en tirer impunément, c'est certain. Dans son intérêt, mieux vaut que ce soit honnête ; Jake est sous l'influence d'un excès de café fort.

Il suffit de quelques secondes à Ellie pour déverrouiller la porte, et alors qu'elle l'ouvre toute grande, je retiens mon souffle. Le cœur battant, je franchis sur la pointe des pieds le plancher de bois qui grince. Le loft ressemble à une vieille manufacture de vêtements, et j'imagine le bruit des machines à coudre anciennes qui ronronnaient ici il y a des décennies, alors que la fabrication était beaucoup plus florissante en ville.

Ellie ouvre une deuxième porte, et Jake et moi haletons à l'unisson. Cette fois, je n'en crois pas mes yeux. On dirait qu'on vient d'atterrir sur un plateau de tournage de la Paramount. Des couches et des couches de tulle rose et délicat flottent au plafond, qui est recouvert de minuscules étoiles roses et argentées. Des cordons de lumières blanches sont accrochés aux poutres de bois, qui me rappellent les incroyables installations de l'artiste japonaise Yayoi Kusama, *Infinity Mirror Rooms*. Comment Ellie est-elle parvenue à créer ça ?

Bouche bée, Jake regarde au centre de la pièce, où une demi-douzaine de mannequins sont habillés d'exquises robes en jersey de soie et de chiffon.

—OH MERDE ! C'EST MALADE ! hurle Jake, bondissant d'un mannequin à l'autre comme un enfant frénétique dans une boutique de bonbons. C'est TOI qui as fait tout ça, ma belle ?

— Oui, répond Ellie d'un ton timide.

Elle paraît un peu gênée de l'avouer.

— *Oh my god !* marmonne Jake.

Il est ensorcelé, lui aussi. Qui savait qu'Ellie avait autant de talent et un côté aussi doux et féminin ?

Une robe plissée, bleu pâle, avec des perles minuscules à son encolure me coupe le souffle. Elle me rappelle les spectaculaires vêtements de haute couture que les actrices portent sur le tapis rouge. À côté d'elle, une robe colonne blanche est entourée de sa cour, comme celles que Madame Grès a créées à l'époque. À mon grand étonnement, des photos noir et blanc du visage de Cécile sont collées au haut des mannequins. Où Ellie a-t-elle trouvé la photo ? Puis je me rappelle l'avoir vue dans ce livre sur Grès, à la bibliothèque. L'idée d'Ellie me scie. Le concept est original et me touche profondément.

Sur un autre mannequin, au fond, se trouve une mini-robe en chiffon de soie rose qui paraît aussi délicieuse qu'une meringue. Je pourrais absolument m'imaginer la porter à l'une des prochaines expositions de photographies de Jonathan.

— *Come on*, Ellie! Pourquoi as-tu caché ces robes? Elles sont hallucinantes! On est où, d'ailleurs? demande Jake, ravi.

Ellie hausse les épaules.

— Un cousin à moi est le gérant de l'édifice. Il me laisse utiliser gratuitement ce loft. C'est inoccupé depuis que le dernier locataire est parti.

— C'est culotté. Et tu l'es, toi aussi.

Jake se dirige vers Ellie et pose une main sur son épaule.

— Je suis désolé. Je t'ai mal jugée, ma belle. Tu es géniale et je reçois une leçon d'humilité.

Il pose un genou par terre avec un grand geste du bras. Ce qui la fait rosir.

Je reste debout au fond de la salle, les yeux rivés sur mes Adidas, m'efforçant de retenir mes larmes. Je ne sais pas trop si elles sont tristes ou joyeuses. Je digère encore tout ça. Je sais une chose: chacun d'une façon différente, on a tous été victimes de l'intimidation de Stella, et aucun de nous ne la mérite. Ensemble, on a beaucoup plus de talent qu'elle n'en aura jamais. Je me rappelle la réponse de Simon Cowell, le juge vedette de l'émission de télé-réalité *The X Factor*, à un concurrent qui avouait avoir été intimidé durant son adolescence: «Savez-vous pourquoi, parfois, des gens se font intimider? Parce qu'ils sont bons. Parce que vous êtes bon.» Ses paroles ont fait mouche. J'efface discrètement l'enregistrement de notre conversation à l'hôtel Walker. J'ai une preuve suffisante qu'Ellie est de notre bord. Maintenant, il nous suffit de trouver un moyen de nous serrer les coudes et de riposter.

— Jake a raison. Ellie, tu as un talent exceptionnel. Ces robes devraient être sur un podium, dis-je en me dirigeant vers elles sans cesser de m'imprégner de toute cette beauté. Et j'adore la vieille photo de Cécile que tu as trouvée. C'est une touche très élégante. Je suis sûre qu'elle aurait adoré ta façon de l'exposer.

Je pose la main sur son épaule, en gage de réconciliation.

Je vois bien qu'Ellie est bouleversée par tous ces compliments. Elle fixe le plancher et se met à sangloter en silence.

— Vous êtes les premières personnes à qui j'ai montré mes travaux. Je ne savais pas trop ce que je faisais… C'était des expériences… c'est tout… dit-elle en essuyant des larmes.

— Des expériences? Tu plaisantes? Allons, tu es le top du top!

Jake essaie de lui faire retrouver son aplomb. Il me vient à l'esprit que, comme beaucoup d'artistes, dont moi, Ellie doute d'elle-même. Elle n'a évidemment aucune idée de sa valeur. C'est probablement pour ça qu'elle était une proie facile pour Stella. La première fois qu'on s'est rencontrées, je me rappelle, Ellie avait mentionné ses problèmes avec sa mère. Elle n'a peut-être jamais reçu l'encouragement qu'il lui fallait pour développer ses talents artistiques? Peu importe, il faut qu'elle sache à quel point elle est extraordinaire.

— As-tu des couturières locales qui t'aident ? Et les tissus ? Sont-ils importés ou de fabrication locale ? je demande.

— Je les achète ici, à New York. J'essaie d'utiliser autant que possible des textiles naturels bio de filatures locales. Il y a quelques exceptions.

— Si c'est le cas, j'aimerais mettre ton travail en vedette sur mon blogue.

— Vraiment ? Même après ce que je t'ai fait ?

Elle paraît ébahie.

— C'est déjà oublié, Ellie, dis-je. Il faut qu'on se serre les coudes.

— Et TOI, ma chère, il faut que tu participes à l'un des concours de l'école, déclare Jake. Ça ne fait aucun doute. Il est temps que tu sortes de ta coquille et que tu montres au monde ce que tu sais faire.

Elle essuie ses larmes et nous regarde fixement, troublée.

— Moi ?

Jake la prend par les épaules et la secoue doucement.

— Oui, TOI !

— C'est toi qui mérites de figurer dans les compétitions, pas moi, lui réplique-t-elle. Tu fais quelque chose qui peut aider des gens handicapés. Moi, mes affaires sont jolies, c'est tout.

— Et ALORS ? s'exclame Jake en posant les mains sur ses hanches. Tout d'abord, ma collection a disparu, et ça n'a plus tellement d'importance. Deuxièmement, la beauté aide les gens, Ellie. Elle aide à rendre la vie plus supportable à quelques personnes, y compris moi. J'admire ton talent. Si tu ne t'inscris pas à un concours, je le ferai pour toi !

— Et Stella ? Qu'est-ce qu'on peut faire à propos d'elle ?

— Pfff, on n'en a rien à cirer, de cette vipère ! lance Jake en battant l'air de façon dramatique avec les mains. ARRÊTE de lui accorder du pouvoir sur toi.

Comme si elle obéissait à un signal, la dominatrice de l'école refait son apparition. Un texte de Maddie me glace le sang.

> Je viens de recevoir un message anonyme avec une photo de TOI en train de parcourir les dossiers des étudiants. Veux-tu bien m'expliquer ? ? ?
> Je ne suis PAS DU TOUT contente de ça. Appelle-moi LE PLUS TÔT POSSIBLE.

Oh, oh. Ça recommence. Ce manège s'arrêtera-t-il un jour ? Stella s'est sans doute dit qu'en envoyant la photo à Maddie, elle allait me nuire bien plus qu'autrement.

Je respire à fond, je balaie la pièce du regard, je me dirige vers un mannequin et je regarde Cécile dans les yeux. Je prie pour qu'elle m'aide à trouver la force, le courage et la résilience nécessaires pour riposter.

Chapitre quarante

En entrant dans l'appartement de Maddie, je vois qu'elle est en colère. D'habitude, elle m'accueille avec une chaude accolade. Aujourd'hui, c'est avec un silence glacial.

J'entre dans la cuisine et je la vois qui prépare une cruche de thé glacé. Elle se retourne à peine quand je m'installe sur un tabouret. Elle n'est pas seulement fâchée ; elle en a vraiment ras le bol.

Je ne la blâme pas. Elle m'a accueillie chez elle et sous son aile, a fait une demande de bourse en mon nom et m'a fourni de l'amour et un soutien moral. Qu'est-ce que j'ai fait en retour ? J'ai mis tout ça en péril à cause d'un ridicule crêpage de chignon avec une fille instable. C'est peut-être moi qui ai besoin d'aide.

Comme je ne sais pas trop par où commencer ni quoi dire, je m'appuie sur le comptoir, les mains jointes, et j'attends qu'elle se retourne. Je porte un sweatshirt qui dit *BE AWESOME*, mais je ne me sens vraiment pas comme ça. Je suis fatiguée et je ne suis pas d'humeur à me faire sermonner, mais je ne veux pas perdre le respect de Maddie non plus. J'y tiens beaucoup trop. Même épuisée après tout ce drame, j'essaie de ne pas le montrer. Je voudrais qu'elle se retourne pour me parler, ne serait-ce que pour rompre ce silence pénible.

Lorsque Maddie finit par se retourner, nos regards se croisent. Comme elle ne m'offre pas de thé glacé, je sais que ça va être corsé.

— Puis-je au moins t'expliquer? je demande humble-ment.

— Bien sûr, vas-y. Mais cette photo en dit long, Clémentine, surtout sur ton manque de jugement. Écoute, qu'est-ce que tu pouvais bien faire dans les dossiers des étudiants? Comprends-tu que tu pourrais être expulsée pour ça? As-tu une idée de la position dans laquelle ça me met? Je sais que tu subis de fortes pressions, mais c'est inacceptable.

Je me sens nulle et honteuse. Je ne trouve pas de mots pour me défendre. Je veux juste mettre tout ça derrière moi. Je me mords la lèvre inférieure pour ne pas pleurer. J'arrive à peine à retenir mes larmes.

— Je suis désolée, Maddie. Je n'avais pas les idées claires. J'essayais de me protéger, c'est tout.

— Tu sais, Clémentine, j'ai accepté de te laisser habiter ici, même si j'avais des doutes. Puis je t'ai aidée à faire ta demande de bourse pour que tu puisses te lancer, gagner un peu d'argent, et enfin devenir autonome. Tout comme moi, il y a des années. Et je sais que c'est réaliste: j'ai vu les statistiques de fréquentation de ton blogue. Je t'ai même donné le précieux livre de Cécile. Et c'est comme ça que tu me remercies? En faisant quelque chose d'illégal?

Elle avait des doutes sur moi? Aïe. Ça fait mal. Vraiment mal. Je ne savais pas du tout qu'elle avait hésité à m'accueillir chez elle. C'est complètement désastreux. Des larmes roulent sur mes joues. Ses paroles me fendent le cœur, mais c'est contre moi que je suis en colère.

J'ai laissé mon orgueil fausser mon jugement à propos d'un ridicule conflit sur Twitter, et maintenant, il y a des dommages collatéraux. Beaucoup. Je n'ai peut-être plus qu'à plier bagage pour retourner en France, mais je n'en ai surtout pas envie.

— Seulement… j'ai été victime d'intimidation… et maintenant, la collection de Jake a disparu.

Je n'y peux rien : les vannes s'ouvrent et j'éclate en sanglots.

— Quoi ?

J'essuie mes larmes avec un bout d'essuie-tout.

— Sa collection de mode a disparu. Quelqu'un l'a volée à l'école.

Maddie paraît dégoûtée. Elle respire à fond et marche jusqu'au placard, en tire deux grands verres, et les remplit en silence tout en secouant la tête. Elle jette une tranche de citron dans chaque verre et m'en tend un.

— Pourquoi ne pas m'en avoir parlé ?

— Je ne sais pas. On essayait de régler nous-mêmes les choses.

— Regarde où ça t'a menée. Avec une photo compromettante dans mon courriel.

— C'est vrai. Mauvais jugement…

Je me mouche dans mon essuie-tout. Elle me tend un mouchoir de papier.

— Je ne peux pas croire que ça soit encore arrivé, murmure-t-elle.

— Qu'est-ce que tu entends par "encore"?

— Ce n'est pas la première fois. Une étudiante s'est fait détruire sa collection, l'an dernier. On n'a jamais su par qui. Il faut que j'alerte le personnel enseignant. Ça devient sérieux. Est-ce que Jake a une idée de qui aurait pu faire ça?

Elle a raison. Les choses deviennent *vraiment* sérieuses. Je voudrais seulement que Jake ait laissé ses vêtements de collection sous clé.

— Clémentine, as-tu entendu ma question? Est-ce que Jake ou toi avez une idée du coupable?

Je fixe mes chaussures. Je sais que c'est Stella, mais je ne veux pas le dire. Je ne veux pas que Maddie fasse ma sale besogne à ma place. Je peux sûrement trouver une idée brillante qui résoudra cette affaire une fois pour toutes. Beaucoup de gens ont été traînés dans la boue, et il faut que ça cesse. Je veux juste poursuivre ma vie, mon blogue et ma relation avec Jonathan.

Je prends une longue gorgée de thé glacé et j'ai une idée. C'est un passage que je me rappelle du livre de Cécile:

La femme élégante est toujours discrète, et utilise son astucieux intellect pour résoudre les problèmes triviaux de la vie.

— Non, dis-je enfin.

Maddie hausse un sourcil. Elle sait que je lui cache quelque chose.

— Comme tu voudras, Clémentine, dit-elle avant de me poser un doigt sur le nez.

Heureusement, l'ambiance a changé et elle sourit, à présent.

— Je vais essayer d'empêcher la photo de circuler dans l'école, mais je ne veux plus de problèmes, tu comprends ? Je suis tellement occupée avec l'enseignement et l'émission de télé, et je crois que tu dois régler ça toi-même.

— Mm-hmm.

— Tu es vraiment comme ta mère, note-t-elle.

Je réagis par un froncement de sourcils. Je ne sais pas trop ce qu'elle veut dire. Dans mon esprit, c'est soit une insulte, soit un reproche.

— Tu es entêtée, déterminée et sous ton allure de gamine, tu es diablement fougueuse.

Elle termine d'une seule traite son thé glacé.

— D'ailleurs, ta mère veut te parler, ajoute Maddie d'un air mystérieux.

— Est-ce qu'elle t'a appelée ?

Maddie secoue la tête et pointe du doigt par-dessus mon épaule.

— Salut, Clémentine, dit ma mère.

Elle est debout au milieu du loft, dans toute sa gloire somptueuse : pantalon de survêtement en daim beige, chandail de cachemire assorti et sneakers griffés. Plusieurs colliers en or pendent à son cou. Ce sont peut-être des médailles qui représentent toutes ses conquêtes amoureuses.

J'en tombe presque de mon tabouret. Maddie me prend par le bras pour m'aider à garder l'équilibre.

— Qu'est-ce que... quand es-tu arrivée ici ?

— Ce matin. Je t'ai entendue pleurer. Tu vas bien, ma chérie ?

Non, je ne vais pas bien, je veux crier, mais je garde ça pour moi pour l'instant. Je ne veux pas lui exploser au visage devant Maddie, qui me lance un regard de côté, l'air de dire « je sors tout de suite ».

Je crois qu'il vaut mieux qu'elle parte. La visite de ma mère est complètement inattendue, et après ce que j'ai vécu ces quelques dernières semaines, je ne suis surtout pas d'humeur à me prendre la tête. Mais je m'aperçois qu'elle est arrivée juste au bon moment. Il faut vider l'abcès. Sinon, cette affreuse situation restera à jamais coincée dans mon cœur et m'empêchera de vraiment m'aimer ou d'aimer quelqu'un d'autre.

Je dois tourner la page afin de passer à autre chose. J'en ai besoin par-dessus tout et il faut que je le fasse tout de suite.

Après le départ de Maddie, ma mère se dirige en silence vers la cafetière espresso. Elle sait que je suis encore furieuse envers elle ; je n'ai répondu à aucun de ses coups de fil depuis mon arrivée à New York. Et il y a eu beaucoup, beaucoup d'appels.

— Veux-tu un café ? demande-t-elle, et ses cheveux bruns et voluptueux flottent juste au-dessus de ses épaules alors qu'elle verse le café moulu dans la cafetière.

Malgré le long vol et le probable décalage horaire, elle paraît plus jeune que jamais, et fait probablement la moitié de son âge. Ses gestes sont juvéniles, aussi.

— Non, merci, dis-je en les suivant des yeux.

Je la regarde comme un explorateur de safari observe une lionne qui sort de son sommeil. Ou est-ce une cougar ?

Elle se meut élégamment et rapidement dans la cuisine, comme elle le fait sur scène. Comme il fallait s'y attendre, la préparation du café devient une forme d'art entre ses mains. Si seulement elle avait autant cultivé l'art de réussir sa vie personnelle et son mariage… Toujours gentleman discret, mon père parvient à contourner ses problèmes sur la pointe des pieds. Je n'en peux plus, vraiment.

— Clémentine, me pardonneras-tu un jour ? demande-t-elle en prenant place à l'îlot de la cuisine.

Une bouffée de son puissant parfum me chamboule l'estomac. Je me détourne pour respirer l'air frais. J'avais oublié sa coûteuse et pénible eau de toilette musquée, et en ce moment même, elle me donne envie de vomir.

— Non, pas vraiment. Ce que tu as fait était impardonnable, je réplique.

Je ne mâche pas mes mots. La situation a eu des effets terribles sur ma confiance en moi, mais je garde ça sous silence.

— Bon. Je sais.

Elle prend une rapide gorgée de café en regardant par la fenêtre qui donne sur la cour.

— Je veux seulement que tu saches que j'en ai parlé à ma thérapeute, et elle croit qu'on doit en discuter ouvertement… pour franchir l'obstacle.

— Ta thérapeute ? Et moi, alors ? As-tu déjà envisagé à quel point ça m'avait touchée ? je m'exclame.

Je suis sur le point de disjoncter.

— Oui ! C'est pour ça que je l'ai consultée et que je suis venue t'en parler.

—Alors, qu'est-ce que tu en conclus ? je demande, même si je sais déjà la réponse.

Elle est plutôt déboussolée. Et à cause d'elle, moi aussi.

—Mon père, le fils de Cécile, était émotionnellement distant. J'en ai beaucoup souffert, et maintenant, je recherche l'attention des hommes... beaucoup plus jeunes que moi. C'est mon schéma habituel. J'essaie de le briser. Je ne suis pas fière de ce que j'ai fait, tu sais. J'en ai terriblement honte.

—Hm-hmm. Et maintenant ? Je ne sais pas trop si notre relation sera un jour la même. Comment pourrait-elle l'être ? J'ai été trahie par ma propre mère, dis-je, ébranlée.

Livide, elle reste bouche bée.

—Je sais, Clémentine. Je n'ai pas été une bonne mère. Et je suis désolée.

Elle pose le coude sur le comptoir et laisse tomber son front dans sa main.

—En fait, j'ai été une mère affreuse. Tu mérites tellement mieux.

Elle verse des larmes. Ça me prend par surprise ; je n'ai pas beaucoup vu pleurer ma mère. Elle a toujours été la diva stoïque et extrêmement assurée, l'artiste acclamée et la mondaine en demande. Imperturbable, sans défaut et en pleine possession de ses moyens. Toujours. Maintenant, cette armure est fissurée.

Je reste silencieuse et je vois dans ses yeux que ça augmente son chagrin. Mais je ne fais pas ça par vengeance. Je réfléchis bien et je pèse mes mots avant de parler.

— Écoute, Clémentine, dit-elle. Je suis venue à New York pour m'excuser et faire amende honorable. Mes gestes étaient irresponsables et impardonnables, mais je veux changer. Je ne te promets pas d'être parfaite, ce n'est tout simplement pas dans ma nature, mais je te promets ceci : je suis prête à travailler fort pour devenir une meilleure version de moi-même. Et ça veut dire être une meilleure mère. Je me suis engagée sur ce parcours. Je veux guérir mon passé et effacer tout le tort que je t'ai causé, ainsi qu'à ton père. J'espère seulement pouvoir compter sur ton appui.

Son mascara coule sur ses joues. Je m'approche de la boîte de mouchoirs et lui en tends un.

Je pense à Jonathan et à Jake. Qu'est-ce qu'ils feraient ? Qu'est-ce qu'ils diraient ? Est-ce qu'ils lui pardonneraient ? Je n'en suis pas trop certaine.

Puis je pense à Cécile. Que ferait-elle ? Bien sûr, elle pardonnerait à sa petite-fille. Mais j'essaie de me rappeler un passage précis de son précieux livre d'étiquette, un chapitre sur l'indulgence :

La femme élégante est toujours indulgente, surtout envers ceux qui n'agissent pas comme elle. Elle pardonne rapidement faux pas et bévues, sans provoquer ni malaise ni embarras chez ceux qui les ont commis. Grâce à son assurance, elle reste compréhensive si une autre femme n'est pas encore élégante.

Ma mère a fait pire qu'une bévue ou un faux pas : elle a été tout à fait infâme. Mais c'est ma mère. Puis-je passer à autre chose ? Le fait de lui pardonner m'aidera peut-être à vaincre mes propres problèmes de confiance en moi. Cela peut m'aider à me rapprocher de la femme que je veux être.

Je pose la main sur son épaule et je soupire.

— D'accord, maman, je ferai de mon mieux. Pour toi et pour papa. Je ne te promets pas d'être parfaite, car ce n'est tout simplement pas dans ma nature, mais je suis prête à essayer.

Elle sourit à demi avant de bondir dans mes bras, où elle commence à sangloter. Je la laisse pleurer, tout comme Jonathan m'a laissée faire dans l'amphithéâtre de l'école. Ça s'appelle boucler la boucle, et j'imagine que le pardon a quelque chose de libérateur. Il t'enlève une lourde charge sur le dos.

— Et ce garçon n'était pas pour toi, de toute façon. Il me draguait toujours quand tu avais le dos tourné. Tu méritais mieux, ma chérie.

Je sais qu'elle a raison et c'est ce qui me fait vraiment mal. Je ne lui dis rien de Jonathan. Comme je ne suis pas encore prête à partager ça avec elle, je reste muette et j'essaie de mon mieux de lui pardonner à elle comme à Charles.

Après quelques minutes, elle rompt le silence.

— Tu pleurais, plus tôt. Qu'est-ce que c'était?

— Oh, rien. Des trucs à régler.

— Quel genre de trucs?

— Une camarade de classe agressive.

— Est-ce qu'elle te fait du mal?

— Pas physiquement, non.

— Tu veux que je m'en mêle? Je fais du Bikram yoga et du Pilates. Je pourrais lui donner un coup de pied au cul.

Je roule des yeux. Je sais qu'elle ne blague qu'à moitié. Ma mère est accro au drame, et je ne pense pas qu'elle changera un jour. J'essaie de dépasser cela et de voir sa sincère empathie envers moi.

— Non, ça va. Mais merci pour l'offre. Tu m'as toujours enseigné à me débrouiller toute seule, non ?

Elle me serre l'épaule et s'appuie contre moi.

— Oh, Clémentine, c'est toi qui es mûre et raisonnable. Je devrais probablement me laisser inspirer par toi.

— Tu pourrais commencer par lire mon blogue, dis-je en essayant d'alléger l'atmosphère.

— Tu as un blogue ?

Elle paraît surprise et impressionnée.

— Oui, il s'appelle Bonjour Girl.

— Et ça parle de quoi ?

— L'écomode, l'éthique et la diversité dans la mode.

— Oh ! J'aimerais tellement le lire. Pourquoi ne sors-tu pas ton ordinateur pendant que je nous prépare quelque chose à manger. Tu pourras me le montrer.

— C'est un bon départ, on dirait.

Alors que je vais chercher mon ordinateur dans ma chambre, je me dis qu'être une femme élégante a ses avantages, comme le fait d'avoir un cœur ouvert et sans souci, ce qui permet de recevoir de l'amour et du soutien en retour.

Pendant que Maddie et ma mère bavardent, je retourne en douce dans ma chambre pour texter à Jonathan, et je remarque un message de Jake.

T'as envie de sortir ?

Pas maintenant. Maman est à NY pour 48 heures.

Oh, la délicieuse maman d'opéra !

Plutôt l'odieuse !

Oups. Des problèmes, on dirait...

Ouais. Des tonnes. Mais on est en train de les régler.

Puisque tu le dis, ma chérie. Tu veux m'en parler ?

Nan

Je vois. Es-tu encore en train de travailler à notre plan ?

Oui. J'ai des idées. Je t'en reparle.

Bon. Bonne nuit. J'espère que tu rêveras en technicolor, ma chérie.

Je te reviens tout de suite, mon cher ami. Bons rêves !

XXOO

Chapitre quarante et un

Le jour J est arrivé.

Après avoir consacré l'après-midi d'hier à des visites de musées et à un déjeuner de réconciliation avec ma mère, je m'assois nerveusement au bureau du doyen, mon ordinateur portable sur les genoux. Il renferme les notes d'entrevue que j'ai pondues tard hier soir.

Pour la rencontre, j'ai emprunté un des vêtements griffés de Maddie : une robe de soie rayée bleue et blanche qu'elle a achetée en voyage d'affaires à Milan. J'avais l'œil dessus depuis mon arrivée chez elle et je suis reconnaissante du fait qu'elle me permette de la porter aujourd'hui.

Je l'ai accessoirisée avec mes boucles d'oreille en forme de lustre et des escarpins bleu marine que j'ai achetés en solde en arrivant à New York. Je savais qu'ils me seraient bien utiles. Pour la chance, je porte un collier de fleurs en céramique jaune qui appartenait à Cécile. Je me sens comme Reese Witherspoon à un déjeuner à Hollywood. Oh, et j'ai enfin trouvé le courage de colorer en rose une mèche de mes cheveux. Parce que c'est ce que font les filles culottées.

Mon plan sera décisif pour mon avenir. J'ai décidé que ma paix intérieure et l'équilibre mental de Jake en valaient le risque. Cette comédie ne peut plus durer.

Le doyen de l'école Parsons est un bel homme, grand et élégant, qui a passé la majeure partie de sa carrière dans l'industrie de la mode. Avant de se joindre à Parsons, paraît-il, il était consultant commercial pour une des principales maisons et marques du monde, et a conjointement lancé plusieurs entreprises sur Internet. Malgré sa trajectoire et sa stature impressionnantes, il demeure fort abordable et terre à terre. Il est plutôt populaire auprès des étudiants et du personnel enseignant.

Je suis venue l'interviewer pour Bonjour Girl. Puisqu'il encourage chaque étudiant à développer un esprit d'entreprise, il ne m'a pas fallu beaucoup d'effort pour le convaincre d'accepter cette rencontre, mais j'ai tout de même le trac. Qui n'en aurait pas, hein ? Je peux y arriver, je me dis. Il me suffit d'exécuter mon plan sans bavure, et tout le monde sera au bout de ses peines.

— Salut, Clémentine, te recevoir est un plaisir. J'ai eu beaucoup d'échos positifs à propos de toi et de ce que tu fais, dit le doyen en me serrant la main.

— Vraiment ? je réponds, abasourdie.

Je ne peux pas imaginer comment il a entendu parler de moi. Qui lui a parlé de mon blogue ?

— Merci d'accepter de me rencontrer, monsieur le doyen Williams. Je vous suis très reconnaissante.

— S'il te plaît, Clémentine, appelle-moi James, dit-il avec un éclair sympa dans les yeux.

Je vois pourquoi les étudiants ont une si haute opinion de lui.

— D'accord, James.

Je me surprends à me sentir (et probablement à paraître) mal assurée, et décide d'intensifier mon jeu. Si je veux réussir dans le peloton de tête, j'ai besoin de masses d'assurance. Je me racle la gorge et je me mets dans la peau d'une blogueuse célèbre comme Garance Doré en train d'interviewer Michael Kors. Je deviens tout de suite plus sûre de moi. Je me redresse sur ma chaise, je croise les jambes et je fonce. J'espère seulement que ça fonctionnera.

— Je suis honorée du fait que vous soyez au courant de mon travail. Je fais de mon mieux pour bloguer d'une façon originale à propos de l'industrie. Mon but est d'atteindre l'auditoire le plus vaste possible et d'écrire sur des sujets différents.

— Oui, bravo, Clémentine. J'ai lu tes premiers articles. J'avoue que j'aime ton style d'écriture. C'est frais, et les sujets sont fort inspirants. Continue, ce sera un succès majeur.

Wow, je n'en crois pas mes oreilles! Le doyen de Parsons lit vraiment mon blogue! Ça remonte complètement ma confiance. Je lui souris avec reconnaissance et je suis aux anges.

— Merci de me dire ça, c'est vraiment important pour moi. Il y a beaucoup de compétition et j'ai besoin du plus grand soutien possible.

Il hoche la tête et prend une gorgée de Perrier.

— Je t'en prie. Alors, que puis-je faire pour toi?

Je me racle la gorge de nouveau. J'espère que je ne transpire pas trop dans la robe de Maddie. C'est difficile. Allez, Clémentine, tu peux y arriver!

— J'aimerais poser des questions à propos de quelques projets d'étudiants de Parsons qui ont attiré votre attention au cours des dernières années; ceux qui se sont vraiment détachés du lot.

— Mon Dieu, c'est une question difficile. Chaque année, il y a tellement de collections emballantes et de nouveaux projets qu'il est difficile d'en détacher quelques-uns. J'ai un devoir de respect envers tout le corps étudiant.

Il fait un clin d'œil.

Merde. Il n'a pas mordu à l'hameçon.

— Bien.

J'essaie de revenir sur ma position en changeant de sujet, mais ce n'est pas le moment d'abandonner. Allez, Clémentine, tu es comme ta mère : déterminée et diablement fougueuse, tu te rappelles ?

— Je comprends. Je veux seulement souligner les talents impressionnants qui passent par cette école afin de lui accorder la couverture et la réputation qu'elle mérite, surtout à l'international. Je sais à quel point il est important pour l'école d'attirer des étudiants étrangers...

Son regard s'allume.

— Ah oui, c'est vrai. Une grande part de notre corps étudiant vient de l'étranger. Tout comme toi. Euh... voyons voir, il y avait ce créateur de bijoux du Kenya dont la collection était si magnifique que plusieurs actrices portaient ses bijoux au dernier Festival de Cannes.

— Oh ! C'est exactement ce que je cherche ! Auriez-vous des coupures de presse à ce sujet, par hasard ?

— Oui, on garde tout. Je vais demander à mon assistante de les chercher pour toi dans les archives des étudiants.

— Et l'Asie ? Avez-vous vu des supervedettes en provenance de là-bas ? je demande avec hésitation.

— Comme tu sais, certains de nos meilleurs étudiants viennent de l'Asie. Il y a eu Wu Fung, qui a remporté le concours de vêtements féminins, il y a deux ans. Ses chandails métalliques étaient divins. Personne n'avait jamais rien vu de tel. Elle travaille maintenant chez Chanel à Paris.

— Wow, fabuleux ! dis-je en prenant des notes. Est-ce qu'il y en a d'autres ? Des hommes ?

Continue, Clémentine, tu as le vent en poupe.

— Ah oui, il y a ce jeune homme vraiment talentueux de la Corée du Sud, j'oublie son nom, qui a créé des autocollants géniaux à porter sur des chaussures, des casquettes et des téléphones cellulaires. Si je me rappelle bien, il a eu droit à une double page dans *Vogue Nippon* et a remporté des prix pour ses accessoires originaux.

Bingo. Et voilà. Je ne peux pas le croire : j'y suis arrivée. Je me donne mentalement une petite tape dans le dos.

— Wow, j'aimerais le mettre en vedette dans mon blogue. Est-ce qu'il y a une façon d'obtenir plus d'information ? je demande, avec un peu d'insistance.

Mais pas trop ; je ne veux pas que ça se retourne contre moi.

— Euh, bien sûr, une seconde. Je déteste oublier des noms d'étudiants… Je reviens tout de suite.

Il se lève et va demander de l'aide à son assistante.

Je sais ce qu'il cherche et ce qu'il trouvera : un dossier d'étudiant vide, grâce à Stella.

Je souris intérieurement. Mon plan fonctionne. Continue, Clémentine, et Stella et son intimidation seront chose du

passé. J'espère seulement que cette route longue et tor-
tueuse aidera Jake à retrouver sa collection. C'est tout ce
que je veux. Ce serait une histoire à publier dans Bonjour
Girl.

Je parie qu'elle récolterait des tonnes de partages, aussi.
Mais j'essaie de ne pas anticiper, car la femme élégante est
discrète et sait à quel moment appliquer le chic et brillant
Duct Tape.

Le doyen revient à la hâte à son bureau, l'air découragé.

— C'est vraiment étrange. On ne le trouve pas! Il a
disparu!

— Pardon? Qu'est-ce que vous voulez dire?

— Le contenu du dossier de cet étudiant coréen a
disparu.

— Vraiment? C'est… étonnant.

J'essaie de garder mon sérieux. Ce n'est pas facile.

— Oui, très. J'ai demandé à mon assistante d'examiner
les dossiers adjacents, juste au cas où des documents
auraient été mal classés, et il n'y a rien non plus dans ceux-
là. Je ne peux pas croire qu'ils soient disparus.

Il pose ses verres de lecture Dior sur le bout de son nez
et tape un rapide courriel. Je suppose que cela a quelque
chose à voir avec le dossier et je ne dis rien pendant qu'il
l'envoie.

Je suis fière du fait que ma ruse ait mené à cela. Je ne
pouvais pas me contenter de lui parler de Stella, alors
qu'elle a ces photos de moi.

— Je ne sais pas du tout comment ça a pu arriver. On
est tellement organisés, ici, dit James, l'air perdu dans ses
pensées. On dirait qu'on a un problème de documentation

à régler. De toute façon, je devrai te revenir à ce sujet, Clémentine. Je suis vraiment désolé.

— Pas de problème. Ce n'est pas urgent. Ça peut attendre.

— Je m'attends à ce que tu gardes ça pour toi. Je ne veux surtout pas que ça sorte.

— Oui, bien sûr. Vous pouvez compter sur ma discrétion.

— Bon, je sais que tu es une jeune fille digne de confiance. Il s'est passé beaucoup de choses étranges ici, ces dernières années. Quoi qu'il en soit, fais attention, Clémentine. Tout le monde ici n'est pas aussi gentil ni loyal que toi.

J'éclate presque de rire. Sans blague. Je pourrais écrire un livre là-dessus.

— Avais-tu d'autres questions ? demande-t-il.

Je sais qu'il attend que je quitte son bureau pour retourner à son travail.

— Euh… est-ce que vous auriez quelque chose à ajouter sur l'avenir du programme de mode de Parsons ?

Autant terminer cette interview convenablement. En vérité, j'ai ce qu'il me faut et je me contenterais de sortir rapidement de son bureau, mais je ne veux pas être impolie.

— Je crois que notre école attire les esprits les plus brillants et les plus créatifs. Des étudiants engagés à provoquer le changement dont l'industrie a un besoin pressant. Comme toi et ton projet, Clémentine. Merci de partager ta vision large et inclusive avec le monde entier.

Je suis ravie que le doyen le remarque. J'essaie de ne pas rougir, mais c'est quasi impossible.

— Merci, James. J'apprécie vraiment que vous ayez pris du temps de votre horaire chargé pour me rencontrer aujourd'hui, dis-je en souriant avec reconnaissance. Je vous enverrai un premier jet de notre entrevue avant de la publier en ligne. Puis-je compter sur votre assistante pour qu'elle m'envoie des détails sur le créateur coréen?

— Oui, oui, bien sûr. Attends une seconde que je le lui rappelle…

James sort de son bureau. Voici la chance que j'espérais – est-ce vraiment aussi simple? J'ai la chair de poule et je sens une froide goutte de sueur couler dans mon dos.

J'ai besoin d'agir rapidement, mais pour une raison quelconque, je reste paralysée. C'est peut-être parce que je suis sur le point de détruire l'avenir scolaire de quelqu'un.

Suis-je partante? J'ai moins de cinq secondes pour le faire avant le retour du doyen. Au cours de ces brèves mais intenses secondes, je revois les émotions que j'ai ressenties après avoir lu les tweets de merde de Stella, et la consternation de Jake lorsqu'il a découvert le vol de sa collection, et Ellie qui a failli renoncer à exposer sa spectaculaire haute couture par manque d'estime de soi. Tout cela à cause de l'implacable intimidation de Stella.

Je ne peux pas reculer. Plus maintenant. Allons, Clémentine, c'est le moment.

Je sors la preuve : une photo qu'Ellie a prise de Stella en train de déchirer le dossier du créateur coréen. Je la pose au milieu du bureau du doyen, avec un dépliant sur les autocollants de mode de Stella.

Au moment même où je m'apprête à me retourner pour partir, le téléphone cellulaire du doyen bourdonne sur le bureau. Ça me fait presque bondir. Je ne peux m'empêcher de lire le texto.

> Salut chéri ! J'ai réservé à ton resto préféré pour un dîner au West Village.
> J'ai tellement hâte de te voir ce soir, xoxo

Je halète en voyant de qui il vient : de Maddie. Là-dessus, je sors du bureau en courant, le cœur battant ; sûre d'avoir bien joué mes cartes et enchantée pour ma marraine fée.

Chapitre quarante-deux

— Tu ne croiras pas ce que je viens de faire.

Jake et moi sommes assis dans un petit salon de thé à côté de l'école. Des étudiants y viennent souvent après les cours ; il est ouvert en permanence. Ses murs rose vif me mettent d'humeur sereine. J'ai couru ici et lui ai texté de me rencontrer dès que possible. Je ne suis pas présentable : la sueur dégouline dans mon dos (et dans la robe de Maddie) et mes cheveux sont en bataille. Jake est arrivé à la course, lui aussi : il est en nage.

Je décide de fermer mon téléphone, du moins pour quelques minutes, pour que nous parlions sans être dérangés. Je sais que je serai dans un profond merdier quand James, Maddie et Stella auront découvert ce que j'ai fait.

Comme ça pourrait mal tourner, je dois préparer mon escouade.

— Je vais le croire, bien sûr. Je te sais capable de tout, chère. Tu as cette vibration de petite sorcière. Tu as hérité des superpouvoirs de Cécile.

Jake prend une grande gorgée de son *bubble tea* et me fixe d'un air interrogateur. Il paraît beaucoup plus calme que les derniers jours. J'imagine qu'il a accepté la situation. Pas moi, et tant mieux pour lui.

— Je porte le collier de Cécile pour qu'elle me guide et me protège, dis-je. J'avais certainement besoin d'un coup de pouce supplémentaire pour laisser sur le bureau du doyen une photo de Stella en train de détruire des dossiers d'étudiants.

Jake laisse tomber au plancher le gobelet de thé. Son contenu gicle partout. Heureusement, je recule à temps pour éviter d'en recevoir sur la robe de Maddie.

— QUOI ? NON ! ! !

Ses yeux deviennent grands comme des soucoupes.

— Je te jure sur la tombe de Cécile, je l'ai fait !

Je suis sur le point de m'agenouiller pour éponger le thé répandu, mais Jake m'écarte.

— *Oh my god !* Laisse-moi faire, pour l'amour ! Tu vas salir ta robe !

Après avoir nettoyé son propre dégât, il se lève et me donne une accolade chaleureuse et enveloppante.

— Wow, Clem. C'était très *bad ass*. Je suis tellement fier de toi ! Comment y es-tu arrivée ?

— C'est une longue histoire, mais disons seulement que j'ai attiré l'attention du doyen au bon moment et au bon endroit.

— J'imagine. Eh bien, maintenant, on est sur la bonne voie... dit-il alors que nos poings se touchent. Elle va se faire expulser... et je vais peut-être récupérer ma collection illico.

— Mm-hmm. J'espère bien.

— Tu parais inquiète, ma biche. Pourquoi as-tu si triste mine ?

— Stella est du genre à ne jamais s'arrêter, tu te rappelles ? Elle est l'équivalent maléfique du lapin Energizer.

— Et alors ? Elle va couler. Pas moyen d'y couper. As-tu eu des échos jusqu'ici ?

Je lui montre mon téléphone en secouant la tête.

— Il est éteint.

— Je crois que tu devrais l'allumer. Que la fête commence.

Il a raison. Je prends une dernière gorgée de thé, respire à fond, puis rallume mon téléphone. Mes mains tremblent lorsque je vois surgir de nombreuses notifications sur l'écran, y compris celle que j'attendais :

> Clémentine !! Où es-tu ? ? ? ? Il faut qu'on se parle dans mon bureau TOUT DE SUITE !

C'est Maddie.

— Salut, dis-je humblement en entrant dans le bureau de Maddie.

Comme je m'y attendais, James est là, lui aussi. Maddie ferme rapidement la porte. D'un signe de la tête, elle m'invite à m'asseoir. Je croise les jambes et respire à fond. J'essaie de me mettre à l'aise, car je crois que la discussion va durer un bon moment.

— Où as-tu trouvé ça ? dit-elle en désignant la photo incriminante de Stella.

Je lève les yeux vers eux. Je tremble. Je suis en sueur. Je ne veux pas qu'Ellie ait des problèmes.

— Est-ce que je dois vraiment le dire? La photo est tout ce qu'il y a de plus clair, non?

James et Maddie échangent des regards. Je souris intérieurement. Je dois avouer qu'ils font un couple vraiment mignon.

— Oui, c'est vrai, répond James d'un ton calme.

Il est assis sur le coin du bureau de Maddie, ses manches de chemise relevées et ses verres de lecture griffés perchés sur sa tête.

— Mais il nous faut plus de détails, Clémentine. Et pourquoi t'es-tu donné la peine de m'interviewer pour ton blogue si tout ce que tu voulais, c'était me montrer cette photo?

Je me racle la gorge. C'est une très bonne question et il n'y a pas moyen de l'éviter. Il faut que je dise la vérité. Rien d'autre ne tiendrait la route.

— Je l'ai fait, dis-je en fixant mes chaussures, parce que je suis coupable d'être entrée par effraction dans les archives des étudiants, moi aussi. J'avais peur de vous le dire directement. Je voulais que vous voyiez d'abord cette photo.

Je suis gênée de l'avouer devant le doyen. J'espère que ce ne sera pas utilisé contre moi et que je ne serai pas expulsée.

Maddie me regarde en souriant.

— La mère de Clémentine est une chanteuse d'opéra. Le théâtre, c'est de famille.

Je souris aussi. Elle a probablement raison. Faire un numéro, faire mon cinéma, j'ai ça dans le sang.

—J'essayais seulement de découvrir pourquoi Stella faisait de l'intimidation à mes dépens et à ceux de mon ami Jake, pas de détruire ni de voler quoi que ce soit. Je le jure.

Ils se regardent, puis leurs yeux se tournent à nouveau vers moi.

—Je sais que je n'aurais pas dû. Maintenant, j'essaie de bien faire.

James décroise les bras, se penche en avant et me donne une petite tape gentille sur l'épaule, comme pour me rassurer.

—Très bien, Clémentine. Bien faire est toujours la meilleure conduite à adopter.

Quel soulagement – on dirait qu'un poids immense a été soulevé de mes épaules.

—Je vois que le courage, l'intelligence et la détermination font partie de ton hérédité. Je suis impressionné et je te félicite de nous avoir prévenus. Tu peux respirer, maintenant. Je vais m'occuper de la suite.

Il se lève, met sa veste et sort après avoir fait un clin d'œil à Maddie.

Ouf. C'était un pari risqué, mais il a réussi. Je dois bien savoir une ou deux choses sur le risque : c'est de famille. Mon père a pris des risques en lançant une entreprise dans un pays étranger et en épousant ma mère grandiloquente et imprévisible. Elle-même a pris des risques professionnels (et personnels, aussi – mais j'essaie de passer outre) pour devenir une chanteuse renommée. Dans mon cœur, je sais qu'ils seraient fiers, tout comme Cécile.

— Bien fait, dit Maddie avec un sourire.

— Est-ce que ça veut dire que j'ai encore un endroit où habiter ?

Elle me fait un sourire narquois. J'essaie de deviner sa pensée. Est-elle fière, gênée ou honteuse ?

— Bien sûr. Mais maintenant tu quittes le large et tu navigues près des côtes ; modère-toi un peu, d'accord ? Je ne veux plus de drames dans ma vie ni chez moi.

Ça allège l'ambiance : je peux respirer à l'aise. Je ne vais pas finir dans la rue, après tout. Je suis soulagée du fait que Maddie ait confiance en mon jugement. J'ai tout simplement besoin de m'assurer que ça durera.

Chapitre quarante-trois

Je suis assise en face de Jonathan chez Brigitte, un restaurant aux abords de Chinatown rempli d'œuvres d'art et renommé pour son aménagement génial et lumineux. C'est un lieu de prédilection des victimes de la mode et des blogueurs, et il apparaît régulièrement sur Instagram. Je me sens chez moi dans ce décor moderne et coloré. C'est l'emplacement parfait pour se rencontrer un vendredi matin.

Après tout le supplice que m'a fait subir Stella, je suis ravie de passer du temps avec Jonathan. Nous nous régalons de café au lait et d'un délicieux petit déjeuner. Maddie et James m'ont demandé de m'absenter de Parsons aujourd'hui, alors qu'ils rencontrent Stella pour lui annoncer son expulsion. Au fond, ça m'angoisse vraiment, mais j'essaie de ne pas le montrer. Je m'empiffre d'un toast à l'avocat.

J'ai à peine dormi hier soir, après avoir appris la nouvelle de la rencontre. J'ai déroulé toutes sortes de scénarios épouvantables dans ma tête, y compris un dans lequel Stella embauche un tueur à gages pour m'achever. Son empire est sur le point de s'écrouler et je sais qu'elle ne tombera pas sans se battre. J'ai besoin de me rappeler que

Stella est maître de sa propre destinée. Je n'avais rien à voir avec son comportement malhonnête.

Je prends une gorgée de café et j'essaie de tout oublier. Je dois me concentrer sur l'homme assis devant moi.

— Enfin, du temps bien mérité ensemble.

— Oui. Enfin, c'est vrai, soupire Jonathan en me baisant la main.

Je sais qu'il a subi un stress à propos de son travail en plus de ses propres problèmes juridiques. Je ne lui ai pas encore posé de questions sur sa réclamation. Je ne veux pas gâcher l'instant.

— Je ne peux toujours pas croire que tu as réussi ton coup, Clémentine. On dirait une héroïne de roman policier.

Je hoche la tête.

— Je suis seulement soulagée que ce soit terminé. Je n'essayais pas de prouver quoi que ce soit. Je voulais juste protéger ma propre réputation et mon blogue.

— Et tu y es parvenue sans l'aide de personne, relève-t-il. Tu es beaucoup plus forte et plus brave que moi. J'ai eu recours à Stephanie pour mener mes batailles, mais tu l'as fait toute seule. Tu es une championne.

Il passe son doigt sur le mien.

— Je ne peux pas me permettre ses services, de toute façon, dis-je avec un haussement d'épaules. Mais peut-être un jour.

— Un jour? Lorsque ton blogue décollera, ça viendra plus tôt que tu ne le crois. J'espère seulement que tu ne m'oublieras pas quand tu deviendras célèbre.

— Comment pourrais-je? Je suis désespérément enti-chée du photographe le plus sexy de New York. Qui se trouve également être l'objet de beaucoup d'attention de la part des femmes, dis-je en plaisantant.

— Je suis heureux de déclarer que mes squelettes sont officiellement hors du placard. Julia a fini par laisser tomber sa réclamation contre moi. Je l'ai découvert ce matin. Je voulais te le dire en personne.

— Hourra ! dis-je en levant mon café, et nous faisons tinter nos tasses. Buvons à la disparition des vampires. On devrait aller célébrer à un événement de la Semaine de la Mode ! Est-ce qu'il y a une fête ou un défilé de mode fabuleux auquel on pourrait assister ?

— Une fête ? Un défilé de mode ? Qu'est-ce qu'il y a ? Le petit déjeuner n'est pas à la hauteur, Miss Blogueuse Extraordinaire de la Mode Internationale ? lance Jonathan en riant. Et puis, la Semaine de la Mode est plus ou moins terminée depuis hier.

Au moment où je m'apprête à dire que cet endroit me convient tout à fait et que je suis heureuse de seulement relaxer avec lui, une jeune fille se dirige vers notre table. Début vingtaine, elle porte des lunettes rouge vif, une robe rétro à pois, noir et blanc, un toupet et des ballerines. Elle s'approche timidement de notre table et Jonathan est le premier à lui adresser la parole.

— Salut. On peut vous aider ?

Elle se tourne vers moi.

— Euh, je voulais te remercier, Clémentine. Je suis une grande admiratrice de Bonjour Girl… et je voulais juste, euh, te saluer et te demander si on pourrait prendre un selfie.

Elle tend son téléphone et je souris avec fierté. J'ai une admiratrice ! Une vraie ! Jonathan sourit en levant le pouce.

— Comment t'appelles-tu ?

— Alicia.

— Tu as de la chance, Alicia. On a un photographe professionnel sur place.

Elle s'assoit à côté de moi à la table rose et nous faisons des grimaces pendant que Jonathan prend des photos de nous avec différents filtres Instagram. Je vois qu'elle a un plaisir fou, mais en vérité, c'est moi qu'elle gâte.

— Je suis vraiment heureuse que tu sois venue te présenter, Alicia. Tu me fais grand plaisir. Reste en contact, d'accord ? Et merci de lire Bonjour Girl.

Après son départ, il me vient à l'esprit que la notoriété s'accompagne de certaines responsabilités, y compris la fidélité à ses propres valeurs. Si j'inspire une génération de jeunes femmes, je dois agir en modèle. Cela confirme que j'ai bien fait envers Stella.

Jonathan se penche pour m'embrasser.

— À ma fréquentation de la femme la plus inspirante de New York, dit-il. J'en ai, de la chance !

Je lui rends son doux baiser en songeant que je n'ai pas besoin d'être vue dans des endroits à la mode ni à des défilés pour regonfler mon estime de moi. J'ai ici toute l'attention amoureuse dont j'ai besoin.

— Si je suis inspirante, tu es quoi, alors ? je réponds en tendant la main vers cette chevelure.

Hélas, le bourdonnement de mon téléphone nous interrompt.

C'est un texto de Jake. Je respire à fond avant de le lire. Je prie seulement pour qu'il ait enfin reçu une bonne nouvelle. Ce serait une autre bouffée d'air frais. Et j'en ai tellement besoin.

Chapitre quarante-quatre

> Oh my god. Je viens de recevoir un appel du bureau du doyen. APPELLE-MOI!

J'ai une boule serrée au creux de mon ventre. Je déplace mon café et mon toast, je pose les coudes sur la table et je compose le numéro de Jake.

— Salut, qu'est-ce qui se passe? je demande, assisc au bord de ma chaise.

Je tremble un peu. Jonathan m'observe en silence.

— Tu ne le croiras pas, Clem, mais elle a avoué! Stella a tout avoué! Y compris le vol de ma collection. Apparemment, elle avait lu un article sur Brian Kim dans un magazine de mode alors qu'elle songeait à être transférée à Parsons. Lors de sa première année, elle est entrée par effraction dans la salle des dossiers de Parsons pour obtenir tous les détails sur sa collection et sur la façon dont elle est produite. C'est fou!

Ouf. Je pousse un fort soupir de soulagement. Ça a marché. Jake paraît transporté.

— Je suis tellement heureuse qu'elle n'ait pas été détruite. Où est-elle?

— Dans un entrepôt miteux, près de la rue Canal, où Stella met en réserve une partie de ses autocollants prétentieux. Je suis en taxi avec Ellie et on s'y rend tout de suite.

Je murmure la nouvelle à Jonathan et il paraît soulagé, lui aussi.

Ses épaules retombent et il sourit. Ses yeux noisette et chaleureux regardent droit dans les miens, et je fonds. Je voudrais qu'on puisse rester ici seuls un peu plus longtemps, mais il faut que je sois là pour Jake. Il le faut.

— Je suis dans Chinatown avec Jonathan. Si on vous rencontrait là ? Quelle est l'adresse ?

— Au 5900, rue Canal. Huitième étage. Je viens de demander à mon chauffeur de taxi d'accélérer – mon avenir m'attend !

— D'accord, je serai là dans quinze minutes.

J'espère seulement qu'on n'aura pas de surprises désagréables en arrivant.

Je dépose mon téléphone et demande à Jonathan s'il veut se joindre à moi. C'est pour une bonne cause. Plus tard, on pourra toujours célébrer, juste nous deux. Pour l'instant, je veux être là pour mon ami, comme il l'a été pour moi.

— Bien sûr que je vais me joindre à vous. Tu sais que tu peux compter sur moi pour des choses pareilles.

Il se lève le premier et met son blouson en denim.

C'est doux à mes oreilles. Je tends la main alors que nous sortons du café et passons au trottoir animé, en route vers le moment de gloire de mon meilleur ami.

Jonathan et moi arrivons là-bas avant Jake et Ellie. Heureusement, le garde chargé de la sécurité sait qu'il peut nous laisser entrer. Nous montons les huit étages en silence. Après avoir trouvé le numéro du local, Jonathan pousse du pied la porte en métal.

Nous entrons dans l'immense salle et les planchers grincent sous nos pieds, ce qui me rappelle l'espace d'entreposage qu'Ellie utilise pour sa collection, moins les détails agréables, le charme féminin et la sophistication. Peu importe ; on est venus sauver les affaires de Jake, et non les présenter.

Je contemple aussitôt le contenu de cet entrepôt délabré : il y a d'innombrables présentoirs remplis de sacs de vêtements, des contenants en plastique et des tonnes de poussière. J'éternue lorsque nous longeons une grande table de bois couverte d'une immense bâche de plastique blanc.

Je l'examine quelques secondes avant que Jonathan retire la bâche de la table. En dessous, nous trouvons des piles d'autocollants de mode tout en couleurs. Non pas les versions originales fabriquées par le créateur coréen, bien entendu ; mais les copies de Stella. Je vois maintenant qu'elles sont loin de l'original. Ces autocollants me semblent tristes, et même pitoyables.

Sous nos pas, le plancher grince, et je pousse un cri de surprise.

— BONJOUR, Bonjour Girl ! C'est moi !

Jake se précipite pour me faire l'accolade. Ellie reste à deux pas en arrière. Je me dirige vers elle et lui fais la bise. Elle hoche la tête et sourit. Tout est oublié et pardonné. On fait partie de la même équipe, à présent.

Je vois à son regard reconnaissant que mon geste amical lui apporte du réconfort. Tout comme nous, elle a porté un lourd fardeau.

— Bon, les amis. Je veux trouver mes affaires. ALLEZ, ON Y VA! dit Jake en se frottant les mains.

Il passe devant la collection d'autocollants de Stella avec un air dégoûté.

— Ouh, c'est répugnant. J'espère que mes vêtements ont été entreposés avec plus de soin que ces saloperies.

Jonathan entre dans une salle adjacente et Jake le suit rapidement. Je reste dans l'embrasure de la porte à les regarder inspecter chaque recoin. Enfin, Jake ouvre la porte d'un placard à l'autre bout.

— ALLÉLUIA! s'écrie-t-il.

Tous ses précieux vêtements, tissus et matériaux lui tombent sur la tête.

— C'est un foutu miracle!

Ellie et moi regardons avec jubilation Jake et Jonathan ramasser ses vêtements et les placer dans des housses de plastique. Nous nous faisons une accolade, parce que nous savons qu'à la fin, le dur labeur, le talent et l'honnêteté l'ont emporté.

Je suis sur le point de m'agenouiller et de les aider lorsque mon téléphone tinte.

Et voilà. Le texte arrive, sans grande surprise. Je l'ai attendu pendant toute la journée. Je sais déjà qui c'est. J'essaie de rester calme et stoïque, et forte comme le titanium. Pour me préparer mentalement, je fais jouer dans ma tête *Survivor*, le succès de Destiny's Child, et Beyoncé qui pousse le refrain à tue-tête.

> Bien joué, Clémentine. Tu as réussi à me faire tomber. J'imagine que tu as quelque chose à voir là-dedans. Mais tu ferais bien de surveiller tes arrières, je trouverai moyen de prendre ma revanche sur toi, Bonjour Girl.

Pourquoi est-ce que Stella ne peut pas tout simplement laisser tomber? L'audace et la rancune de cette femme sont incroyables. Devrais-je en faire toute une histoire et gâcher le moment de Jake? Stella aimerait bien, c'est sûr. Mais je décide de ne pas me laisser énerver par son message. J'essaie de le voir pour ce qu'il est: une pitoyable façon d'attirer l'attention de la part de quelqu'un qui, visiblement, souffre. *Beaucoup*. Elle m'a déjà gravement blessée. Je ne la laisse pas aller plus loin. J'en ai plus qu'assez.

J'efface le message. Jonathan s'approche et m'embrasse tendrement sur la tempe.

— Il faut qu'on protège ces belles choses si elles doivent remporter le grand concours de Parsons à la fin de l'année, non? dis-je, et Jake se retourne en souriant.

J'ai le cœur qui éclate presque de voir mon ami si heureux.

Je dois avouer que je suis pas mal heureuse aussi.

— Qui dit qu'il faut attendre aussi longtemps? lance Ellie en posant les mains sur ses hanches avec un air de défi.

Elle semble revenue à son caractère insolent, audacieux, confiant.

Nous affichons tous un air perplexe.

— Qu'est-ce que tu veux dire, ma belle? demande Jake.

Ellie rougit.

— J'ai peut-être inscrit ta collection à un autre concours.

— Tu as fait quoi ?

— Je ne te dis pas lequel. Pas avant qu'on ait une réponse.

— On ? demande Jake en levant un sourcil. J'imagine qu'on est de la même équipe, maintenant, hein ?

— Tu parles. Et je n'aurais pas pu rêver de meilleurs coéquipiers, dit Ellie.

Cette fois, je sais qu'elle est sincère.

Chapitre quarante-cinq

Cette soirée s'avère parfaite à bien des égards. James et Jonathan sont arrivés chez Maddie. Nous avons eu un dîner sans façon, juste les quatre. Je dois avouer que ça me fait bizarre de recevoir le doyen de Parsons à dîner, mais j'aime bien ça, puisque Maddie n'a pas arrêté de sourire depuis qu'il est arrivé avec une bouteille de champagne et un bouquet de roses. Je suis tout simplement ravie de la voir si heureuse.

Nous célébrons l'annonce de la relation de Maddie et de James. Ils ont dit au personnel de l'école qu'ils se fréquentaient et, à part quelques sourcillements, tout s'est bien passé.

Maddie a préparé son délicieux pad thaï végétalien et je l'ai aidée à cuisiner le dessert. Comme je suis à demi française, la pâtisserie, j'ai ça dans le sang.

— Encore un peu de vin ? demande James à Jonathan.

— Absolument, c'est un excellent choix. D'où vient-il ? demande Jonathan.

— De l'Italie, dit James. J'ai visité ce vignoble au cours d'un voyage d'affaires, l'an dernier. J'étais là pour développer une liaison avec l'Istituto Marangoni, à Milan. Nous allons lancer un programme d'échange avec eux, ainsi qu'avec plusieurs écoles de partout dans le monde, dont une à Shanghaï.

Il prend une longue gorgée de vin. Maddie et lui échangent des regards furtifs.

Je me demande ce qu'il peut bien y avoir. J'espère que Maddie ne va pas nous dire qu'elle déménage à Milan ou à Shanghaï. J'ai la tête qui tourne en y pensant. Même si je me suis fait des amis à New York et que j'ai un copain que j'adore, Maddie est mon point d'ancrage. Je ne peux pas la perdre tout de suite, surtout après ce que j'ai vécu avec Stella et ma mère.

Je la fixe d'un regard interrogateur et je lui donne un léger coup de pied sous la table. Elle voit mon air et donne un petit coup sur l'épaule de James.

Je suis inquiète : c'est peut-être une mauvaise nouvelle.

— Qu'est-ce qui se passe ? Ne me dis pas que c'est à propos de Stella ? dis-je, le cœur en cavale.

Je ne crois pas pouvoir supporter d'autres surprises ou un autre chagrin.

— Non. Elle est partie, annonce doucement James.

— Quel soulagement, dit Jonathan. As-tu découvert ce qu'elle avait ? Pourquoi elle était une telle intimidatrice, une telle voleuse ?

Pensif, James fait tournoyer son verre de vin. Je vois qu'il hésite à nous en parler.

— Normalement, je ne révélerais pas d'information sur une étudiante, mais étant donné que Stella n'est plus avec nous, je peux vous dire ceci : elle a raté tous ses examens de première année à la faculté de droit à cause de problèmes familiaux. Ses parents avaient des difficultés financières. Alors, elle a décidé de passer à l'école de mode après avoir reçu une subvention d'un organisme local sans but lucratif qui soutenait son travail.

— J'imagine que comme elle cherchait désespérément à gagner de l'argent rapidement, intervient Maddie, elle a lancé son commerce d'autocollants et, comme on dit, le reste appartient à l'histoire. Je crois qu'elle s'en est prise à toi parce qu'elle a découvert que tu avais reçu une bourse. Elle était jalouse de tes idées et est devenue envieuse et amère à cause de sa situation.

Malgré tout ce que Stella m'a fait subir, je ne peux m'empêcher de me sentir triste à propos d'elle. J'imagine qu'on ne choisit pas ses drames familiaux : d'une certaine façon, ils nous choisissent. Tant pis si Stella a canalisé sa douleur en blessant d'autres gens au lieu de se concentrer sur ses propres projets créatifs. Je l'aurais volontiers interviewée sur mon blogue, si elle avait choisi de focaliser sur un concept original au lieu d'en voler un.

— Merci de me le dire. Tu peux compter sur ma discrétion. Ça m'est vraiment utile de comprendre ce qui s'est passé. Je suis prête à passer à autre chose.

— Oui, en effet, il est temps de passer à autre chose, acquiesce Jonathan en levant son verre.

— Alors, qu'est-ce que vous nous cachez, tous les deux ? je demande.

Je meurs d'envie de le savoir.

— Nous avons cru bon d'en parler au dessert, mais je trouve ce moment-ci tout aussi propice, dit Maddie, rayonnante.

Est-ce que ces deux-là vont se marier ? Si tôt ?

James se racle la gorge.

— Clémentine, étant donné ton talent et la popularité de ton site Web, Maddie et moi avons pensé que tu répondrais tout à fait au nouveau programme d'échange avec Shanghaï. Nous y enverrons une douzaine de nos étudiants pour qu'ils passent un semestre à développer leurs talents. Dans ton cas, ce serait en journalisme et technologie. Tu pourrais même couvrir les événements de mode et en faire l'un de tes projets principaux pour l'an prochain.

— Shanghaï ?

C'est une surprise majeure. Mais je ne peux m'empêcher de me demander si mon père a quelque chose à voir avec ça. Depuis des années, il essaie de me ramener en Chine pour que j'étudie là-bas.

Même si mon père est de Beijing, je n'ai pas passé beaucoup de temps dans son pays d'origine. Mais je sais que l'industrie de la mode, là-bas, bourdonne de tonnes de nouveaux créateurs et détaillants. Je m'intéresse à la scène chinoise de la mode au moyen des blogues et des plateformes Web chinoises.

Mon père m'a envoyé des articles sur Angelica Cheung, la rédactrice en chef et fondatrice de *Vogue China*, qui a réussi à convaincre Condé Nast de lancer le magazine il y a des années. Elle est considérée comme une éditrice très dynamique et elle dispose du respect et de l'autorité nécessaires pour propulser le tirage du magazine dans la stratosphère. Des millions de Chinoises le lisent assidûment. Cheung a dit que son but était d'inspirer les Chinoises et de les rendre indépendantes, fortes, courageuses, positives et aimantes. J'adhère également à ces valeurs. Tant pis si ce n'était pas le cas de l'une de mes camarades de classe.

— Oui, il se passe tellement de choses là-bas, en ce moment. L'école Parsons s'est associée à Condé Nast depuis que le groupe s'intéresse au monde de l'éducation. Ensemble nous avons l'intention d'offrir des cours sur une gamme de sujets qui jouent un rôle essentiel dans l'industrie chinoise de la mode. En plus de cours de photographie, de stylisme, de marketing et de création de mode, il y en aura sur le monde numérique de la mode en Chine.

Ça me semble magnifique. Je n'en crois pas mes oreilles.

— Ce serait parfait pour toi, dit Maddie.

— Tu serais à la pointe d'une mode en émergence sur la scène locale et internationale. Il y a beaucoup de talents là-bas ; ce n'est qu'une question de suivi et de temps. Et tu ferais partie de tout ça, poursuit James.

Wow. Je m'appuie sur le dossier de ma chaise et j'essaie d'absorber tout ça. Je ne m'attendais pas à ça, surtout pas maintenant, alors que je m'installe enfin à Parsons et à New York. Et Jonathan ? Un semestre à l'étranger, ça voudrait dire une relation à distance, et je sais que ça peut être difficile. Je me tourne vers lui. Il me sourit et me prend la main.

— Ça me semble être une occasion en or, Clémentine. Ne t'en fais pas. J'irai te rendre visite. J'ai des clients en Asie. Et c'est seulement pour un semestre.

Je ferme les yeux et j'imagine ce que Jake dirait s'il était là à la table. DIS DONC, TU ES INCROYABLE ! Hésites-tu devant cette occasion inouïe à cause d'un mec ? Tu sais que tu veux y aller. ALORS, FONCE, C'EST TOUT !

J'éclate de rire alors que tout le monde à table se contente de me fixer.

— J'étais en train de me dire à quel point ce serait ridicule de rejeter une offre aussi incroyable.

Jonathan fait un signe de tête approbateur et me baise la main.

— J'embarque, dis-je en applaudissant. Et merci, James, d'avoir pensé à moi. Je te promets de faire ta fierté et celle de Parsons.

Jonathan pose sa paume sur mon genou et m'embrasse doucement.

Malgré quelques revers, je suis plus que jamais convaincue que le fait de venir à New York et de fréquenter Parsons était la meilleure décision de ma vie.

— Alors, j'imagine que tu n'as plus aucun doute à propos de moi ? dis-je à Maddie.

— Absolument aucun. Je me demandais seulement si tu avais la maturité nécessaire pour survivre dans la folle jungle new-yorkaise, et tu t'en es montrée capable, haut la main.

Je souris avec reconnaissance.

Voici mon humble opinion : quand tu découvres qui tu es vraiment et que tu poursuis le but de ta vie avec passion, c'est étonnant à quel point l'univers t'ouvre ses portes et t'envoie ses cadeaux. Je suis folle de gratitude pour le cadeau qu'on vient de m'offrir. Je fais le vœu de ne pas décevoir ceux qui me l'offrent.

Chapitre quarante-six

— Eh bien, c'est ce que j'appelle de la classe, dit Jake en levant son verre de champagne, l'air terriblement chic dans son élégant smoking.

Nous sommes au gala semi-annuel de l'école Parsons, où des étudiants sont récompensés pour leur travail exceptionnel et leur contribution à la visibilité et à la réputation de l'école pendant le semestre. C'est aussi le dernier événement de l'école avant les vacances.

Jake est assis à côté d'Ellie qui, pour une fois, n'est pas vêtue de couleurs sombres, mais porte une éblouissante robe colonne blanche. Ses cheveux sont remontés sur le côté non rasé avec une barrette sertie de cristaux, et ses yeux sont maquillés dans une palette gris fumée et argent. Elle a laissé tomber le look gothique en faveur de la grâce et de l'élégance, et elle a l'air d'une starlette de Hollywood des années 1940. Jake a également invité son amie blogueuse Adelina, vêtue d'une création bleue et blanche de Jake et d'un fédora bleu foncé. Non seulement elle est superbe, elle est également rigolote. Elle a plaisanté sans arrêt depuis son arrivée au cocktail. J'ai le sentiment que nous allons bien rire ce soir.

Les trois sont assis devant Jonathan et moi. Je porte une robe de mousseline couleur crème, créée par Ellie et accessoirisée avec un châle couleur clémentine que Jake m'a confectionné pour l'occasion. Je me suis également fait décorer les ongles avec de minuscules perles et un vernis rose pâle, parfaitement assorti à mon look. J'ai opté pour le minimalisme en maquillage et en coiffure, préférant laisser resplendir la robe d'Ellie.

Jonathan est incroyable dans son complet noir bien taillé, celui qu'il met pour les rendez-vous avec des clients importants. Il porte aussi une chemise blanche et impeccable, et cette délicieuse eau de toilette qu'il a rapportée de France. Je souris intérieurement. Il est tellement beau – quelle chance j'ai de l'avoir rencontré ! Je suis tout simplement heureuse de me trouver avec un homme qui m'encourage et sent aussi bon.

Maddie et James sont ici aussi, assis à la table d'honneur avec l'invitée d'honneur de ce soir, Anna Windsome du magazine *Vogue*. C'est l'une des raisons pour lesquelles j'adore étudier à l'école Parsons : le facteur chic est imbattable.

Dans son livre *Why Fashion Matters*, Frances Corner, professeure au London College of Fashion, pose la question : *Quand le monde en ligne offre autant de visibilité et d'information, pourquoi un nombre de plus en plus grand d'étudiants quittent-ils leurs foyers pour aller étudier dans des institutions comme Parsons ?* Sa réponse : *Pour développer des talents et engendrer un sentiment de communauté.*

Un sentiment de communauté, c'est ce que j'ai trouvé en venant à New York, et c'est ce que nous célébrons ici ce soir.

— Salut à toi, mon ami, et félicitations pour ta nomination bien méritée! dit Jonathan en faisant tinter son verre contre celui de Jake.

Jake est rayonnant. Non seulement a-t-il reçu une bourse pour créer sa propre collection, mais grâce à Ellie, il est en nomination, ce soir, pour un prix dans une catégorie spéciale, qui récompense ceux qui privilégient des questions sociales dans la mode. Même s'il n'est pas prêt à se lancer tout seul, cette nomination va l'aider à obtenir ce stage tant convoité auprès d'une marque de mode. Et surtout, il a suivi son intuition et cela s'avère une stratégie gagnante.

Grâce à Jake, Ellie a également été en nomination pour son travail époustouflant. Jake a partagé des photos de la salle d'exposition d'Ellie et de sa collection sur son profil Instagram, et la réaction a été rapide et renversante: les photos sont devenues virales en quelques heures. Parsons a rapidement contacté Jake pour découvrir qui avait fait les robes. Ellie a également reçu une invitation d'un petit musée de Normandie pour participer à une exposition sur Madame Grès. On a demandé à emprunter ses vêtements pour l'été. Elle a littéralement bondi sur place et s'est roulée sur le plancher en l'apprenant. Dans le mille!

Je suis si heureuse que ma propre arrière-grand-mère ait inspiré à Ellie cette superbe collection. Je suis sûre que Cécile nous regarde de là-haut, rayonnante.

Jake interrompt mes réflexions en me suggérant de soulever mon assiette. En dessous, je trouve une note manuscrite de Brian Kim, le créateur coréen qui a remporté des prix pour sa collection d'autocollants. Dans sa lettre, il me remercie personnellement d'avoir protégé ses concepts. Je sais que Jake a quelque chose à voir là-dedans, et je lui lève mon pouce. Je suis contente que Jake ait parlé à Brian; après tout, c'est un ancien étudiant de Parsons et il a le droit de savoir. En me faisant du bien, j'en ai également fait à quelqu'un d'autre. Tout ça en valait la peine.

Après notre plat principal, la salle se fait silencieuse et Anna Windsome monte sur scène avec sa robe droite distinctive en tweed pour s'adresser à l'auditoire. Elle commence par accueillir les étudiants et féliciter les candidats sélectionnés à propos du travail important qui se fait à Parsons.

— Vous êtes tous en train de paver la voie à l'avenir, dit-elle, et un frisson me parcourt l'échine.

C'est la raison principale qui m'a décidée à venir à New York pour lancer mon blogue. Elle continue en remerciant James de son impressionnante contribution à l'industrie de la mode. Je tends le cou vers sa table et je vois Maddie qui le regarde avec admiration; cela fait chanter mon cœur. Ce soir, même si ça paraît éculé, l'amour est dans l'air.

Une vidéo du travail des candidats passe sur un grand écran au-dessus de la scène, et notre table se déchaîne lorsque apparaissent des images du travail de Jake. Même Anna semble impressionnée par sa collection, ce qui n'est pas peu dire. On lui demande de se lever devant la foule qui l'acclame.

Des larmes lui montent aux yeux lorsqu'il s'incline, et ça me fait pleurer aussi. Je sais à quel point Jake s'est battu pour arriver ici; ça rend cette soirée encore plus particulière.

— Ma seule inquiétude, poursuit Windsome, c'est que l'un ou l'autre d'entre vous passe directement de l'école à l'établissement de votre propre entreprise. Rappelez-vous une seule chose : le marché est compétitif et c'est difficile. Prenez votre temps, développez une expérience valable, et surveillez vos arrières.

Jake me lance un regard complice. Il mime les mots « Sans blague ! », ce qui me fait ricaner.

— Je vous recommanderais à tous de réfléchir soigneusement avant de vous lancer en affaires : songez d'abord à travailler pour un créateur ou une société dont vous admirez le travail. Vous serez mieux placés du point de vue stratégique, financier et émotionnel. Ensuite, lorsque vous serez prêts, vous pourrez compter sur moi pour vous encourager, dit-elle en terminant, et la foule commence à rire.

Jake lève les bras en l'air, siffle et tape dans ses mains. Je sais que ce commentaire n'est pas tombé dans l'oreille d'un sourd. Il va l'appeler plus tôt qu'elle ne le croit.

J'envoie un clin d'œil à Jake après la fin du discours d'Anna Windsome. C'est la stratégie de mon ami que de trouver un stage et je sais que c'est celle d'Ellie aussi. Plus tôt, au cours du cocktail, elle m'a dit qu'elle cherchait un stage dans l'une des principales marques à Paris. Étant donné son incroyable talent, je n'ai aucun doute qu'elle en trouvera un. De la chaise longue de son boudoir dans le ciel, Cécile verra à ce qu'elle y arrive.

Quant à moi, j'espère continuer à écrire et à publier sur mon blogue pour accroître mon lectorat. Après mon retour de Chine, je chercherai aussi à faire un stage pour un journal ou un magazine, pour développer mon talent pour l'écriture. Nous verrons ce qu'apportera l'avenir.

Je suis tirée de mes pensées lorsque j'entends soudain la rédactrice en chef du magazine *Vogue* crier mon nom. J'en crache presque mon vin.

En me retournant, je vois le titre de mon blogue étalé sur le grand écran au-dessus de la scène.

— Qu'est-ce qui s'est passé? Qu'est-ce qu'elle a dit? je murmure à Jonathan, à moitié terrifiée, à moitié en état de choc.

— Oh, Anna Windsome vient de dire que ton blogue obtient une mention spéciale ce soir dans la catégorie questions sociales, pour élargir le traitement médiatique de la beauté et de la mode dans les médias. C'est tout.

Je deviens rouge comme une tomate alors que les applaudissements rugissent autour de moi. Je ne sais pas du tout qui a proposé mon blogue. Était-ce Jake, Ellie, Maddie ou James?

Je me lève, m'accrochant à la main de Jonathan pour me stabiliser. Je m'incline tout en remerciant mentalement mes parents de m'avoir envoyée ici et Cécile de m'avoir inspirée. Tout ça, c'est grâce à elle. Et je suis une arrière-petite-fille reconnaissante.

— Qu'est-ce que c'est? je demande à Jonathan, des étoiles dans les yeux.

Nous sommes assis sur un banc qui surplombe Central Park. Après l'événement Parsons au Lincoln Center, nous avons décidé de faire une longue promenade tranquille. Nous nous sommes même arrêtés dans un petit resto local de l'Upper West Side pour prendre des burgers et des frites.

Je me sentais tellement prise de vertige en songeant qu'Anna Windsome avait mentionné mon blogue, que j'ai à peine touché à ma nourriture au cours du repas. À cause de tout ce que j'avais vécu, le fait qu'elle mentionne Bonjour Girl avait une connotation particulière.

— C'est un cadeau. Je me suis dit que tu l'aimerais. Ouvre-le, dit-il en m'embrassant doucement sur la joue. C'est ton grand soir. C'est quelque chose pour marquer l'occasion.

Il passe son écharpe de laine à mon cou pour me garder au chaud.

Je déballe le présent et mon cœur se gonfle lorsque je trouve un livre rétro à l'intérieur du papier d'emballage argenté. Il s'intitule *Modes françaises classiques*, et la couverture montre de magnifiques illustrations de femmes portant de délicates robes garçonnes des années 1920.

— Je sais à quel point tu adores la mode et les livres rétro.

Je suis touchée par son geste prévenant et je sens des larmes me monter aux yeux. Je ne peux pas croire que j'ai un jour pensé que cet homme pouvait me trahir. C'était si ridicule. Je n'aurais pas pu me tromper davantage.

— C'est magnifique ! J'adore. Merci.

— Ce n'est pas tout…

Il prend le livre et ouvre la couverture. Les pages ont toutes été collées ensemble et un trou a été taillé au centre pour changer le livre en boîte cadeau. À l'intérieur, il y a un minuscule sac en velours.

— Quoi ? Qu'est-ce que c'est ? Il y a autre chose ? dis-je en protestant, mais au fond, je hurle de bonheur.

Il a un sourire espiègle.

— Attends. Tu n'as pas encore vu ce qu'il y a dedans.

Il me fait un signe de la tête pour que je continue de déballer.

Je dénoue les cordons du sac, et un exquis anneau d'argent avec un petit rubis tombe dans la paume de ma main.

— C'est magnifique.

— Il appartenait à une autre femme célèbre.

— Ah ?

— Ma grand-mère. Elle n'était pas aussi célèbre que Cécile, mais elle avait grand cœur, tout comme toi. Il représente mon amour.

Il le glisse à mon index.

— Je veux que tu le portes en pensant à moi pendant que tu seras à Shanghaï.

Je regarde ma main et elle commence à trembler. Je ne m'attendais pas ce soir à ce geste suprêmement romantique, par-dessus tout le reste. Est-ce qu'une personne peut être trop heureuse ? Je ne pense pas.

— Je promets de le porter chaque jour. Je t'aime, Jonathan, dis-je en sentant des larmes couler sur mes joues.

— Puisque tes parents sont en Europe, j'espérais que tu te joignes à ma famille à Noël, cette année. Ma mère a tellement hâte de te rencontrer, surtout depuis que je lui ai demandé cet anneau.

—Je ne peux pas m'imaginer passer les Fêtes en meilleure compagnie. Ce sera le plus beau Noël de ma vie. Et j'ai tellement hâte de rencontrer tes parents.

Malgré de récentes difficultés, la vie s'est avérée tellement plus belle que j'aurais pu l'envisager. Je donne un baiser à Jonathan, cette fois avec toute la passion de quatre générations de fougueuses Françaises.

Quelles surprises m'attendent à Shanghaï? Je ne sais pas trop, mais j'espère qu'elles seront bonnes. Pour l'instant, je suis heureuse d'avoir suivi mon instinct.

Car c'est ce que fait de mieux la femme élégante.

Remerciements

Qu'ils rassemblent des collections de mode ou qu'ils écrivent des romans, les créateurs et les écrivains ne peuvent engendrer leurs œuvres respectives sans l'aide précieuse de quelques privilégiés.

À cet égard, j'aimerais remercier Daniaile Jarry, mon extraordinaire gérante, qui, en plus d'avoir un panache sans pareil, a également reconnu le potentiel de cette histoire et m'a fourni sans relâche son soutien et ses encouragements.

Merci à mon traducteur Michel Saint-Germain pour sa plume, sa verve et son sourire.

Merci à mes complices d'édition Sandrine Lazure et André Gagnon, pour avoir mené ce projet avec brio, optimisme et bonne humeur. Un merci tout spécial à toute l'équipe de chez Hurtubise pour votre soutien et votre passion. Vous possédez l'élégance des plus grands couturiers.

J'aimerais remercier du fond du cœur Isabelle Rayle-Doiron, Camille Auger, Tina Avon et Gina Roitman pour leurs précieux commentaires et leur collaboration. Sans vous, ce livre n'aurait pas vu le jour. Un remerciement particulier à Debbie Stasson pour être une supportrice à distance.

Merci à Marie Geneviève Cyr, Marie-Ève Faust, Yves Jean Lacasse et Jennifer Brodeur d'apporter une touche d'élégance et d'inspiration à ma vie. Merci à mon amie Sophie Lymburner de m'avoir offert l'endroit le plus magique pour écrire ; je suis immensément reconnaissante. Et merci à ma famille et à tous mes chers amis pour votre soutien inébranlable.

Finalement, merci à vous toutes, les femmes culottées – brillantes, chic et insolentes, jeunes et pas si jeunes. Vous êtes ma véritable inspiration, et j'ai pour vous une admiration sans bornes.

Viens nous rejoindre
/HpourHurtubise
/editions_hurtubise

GARANT DES FORÊTS
INTACTES

Achevé d'imprimer en août 2018
sur les presses de l'imprimerie Marquis Livres
Montmagny, Québec

Imprimé sur du papier québécois
100 % recyclé.